só por hoje e para sempre

Eu sou a Morte, eu
sou o seu Eu maligno,
eu sou o que você
quis, por não ver mais
a Luz e a Verdade.
Mas você finalmente
provou ser mais forte —
nunca atingi seu trabalho,
sua criatividade ou
seu amor pelos seus.

É tão maravilhoso isso,
você vai adorar, é a sua cara.
Só por hoje e para sempre!
Vamos ser felizes de novo!

AUTOAVALIAÇÃO DO PRIMEIRO PASSO (1A)

Impotência (admitimos que éramos impotentes perante o álcool e outras drogas — que tínhamos perdido o domínio sobre nossas vidas)

De que forma minha incapacidade de controlar o uso do álcool e outras drogas afetou:

1. MEU TRABALHO

Por volta de 1984, antes de lançarmos nosso primeiro disco,[3] estávamos em São Paulo para uma apresentação no clube Rose Bom Bom (uma casa new wave da moda na época, com capacidade para um público de trezentas pessoas) e subi bêbado ao palco, o que atrapalhou minha dicção e deixou os outros membros da banda muito chateados (exceto o baixista,[4] que também estava mais para lá do que para cá). O público não notou nada, porque nossa música na época era muito barulhenta e todos acharam que minha performance era parte do show. Não era, eles adoraram de qualquer jeito, mas fiquei muito descontrolado e (como sempre) sozinho depois do show porque ninguém queria falar comigo (acharam que tinha sido um desastre). Eu bebi mais (é claro) e achei, com arrogância, que isso era um comportamento tipicamente rock 'n' roll, quando na verdade era antiprofissionalismo mesmo.

Nossa pior apresentação deve ter sido em Angra dos Reis, em 1985, quando, além de beber, usei cocaína. Era um festival com várias bandas, pessimamente organizado. Não houve passagem de som e as guitarras estavam desafinadas e eu desafinei o tempo todo (logo eu, eleito o melhor cantor de rock pela revista *Bizz* e *JB* por seis anos seguidos). Se estivesse sóbrio, teria controle sobre a situação, em vez de insistir que o erro não era só meu (o que de fato não era, mas, sendo o líder da banda, a responsabilidade foi minha). Por acaso nosso técnico de som gravou a apresentação e fiquei a noite inteira ouvindo aquilo, muito, mas muito chateado e frustrado. Me senti um perfeito idiota e prometi q. isso nunca mais iria acontecer. Me senti MUITO MAL depois, emocionalmente.

Até que em 1988 (eu acho) veio o pior incidente: tivemos que CANCELAR um show após a terceira música porque, além de não ter descansado, não me alimentei o suficiente e na noite anterior fiz uso abusivo de álcool (e vários outros químicos), o que minou meu stamina, e entrei em pânico completo ao subir no palco e verificar que estava passando mal e sem voz. Isso se deu em Patos de Minas. Fizemos o show no dia seguinte, mas aí o público já havia destruído parte do ginásio e haveria notas em todos os jornais sobre o "incidente". O show foi espetacular, mas, de acordo com o médico que me atendeu, minha pressão estivera tão alta que eu poderia ter morrido ali mesmo, de um enfarte ou coisa parecida. Legal, né? Tive muito medo. Muito. E depois disso nunca mais deixei essa situação se repetir por minha causa.

2. MINHA SAÚDE

Quase o.d'd* três vezes (uma vez no Rio, em casa, após uso intenso de cocaína e álcool e novamente sem me alimentar, só na base do iogurte — outra no Rio também, e dessa vez tive que pedir para chamarem um médico em casa — e a pior de todas em Brasília, onde estava com um parente meu e fui parar no hospital já quase morto eu acho, em pânico, com taquicardia etc.).** Parei então de usar cocaína e concentrei-me no álcool, o que deve ter me levado a uma reação alérgica tão forte toda vez que bebia UM

* Morri overdosed.

** Após três dias de uso contínuo de cocaína e só. Nada de comida.

gole somente que fiquei abstêmio por mais de dezoito meses. Aí eu só fumava haxixe. Legal, né? Tive uma hepatite B séria (muito séria aliás), certamente ligada às falhas na minha alimentação. Nunca gostei muito de comida por alguma razão e não comia MESMO. Cheguei aos 50 kg (o que para minha altura, 1,76 m, me fazia parecer alguém com anorexia nervosa etc.). Fiz terapia após esse susto da hepatite e fiquei dois anos sem beber (usei haxixe, downers e heroína no intervalo anterior a isso e maconha no final desses dois anos, 1990-92). Tudo isso foi extremamente prejudicial à minha saúde, senti culpa, medo e vergonha, e minha família e amigos ñ sabem como continuei vivo. Legal, né?

3. MINHAS FINANÇAS

Nunca tive problemas com dinheiro — os estou tendo agora. Antes chegava ao absurdo de gastar US$ 40 000 (quarenta mil dólares) em viagens (como a que fiz para NY e S. Francisco em 89). Com a dose de Black Label a seis dólares (bebia no mínimo dez doses por dia, isso por TRÊS MESES) e a garrafa de Chivas Regal 25 a US$ 80, dá para imaginar o quanto joguei fora (além de gracinhas do tipo dar notas de cem dólares para mendigos e homeless people etc.). Ganhei muito dinheiro antes do Plano Collor e mais ainda depois, tenho casa própria, carro etc., mas deveria ter muito mais. Não tenho um histórico tão trágico qto. o de muitos dependentes (que perderam TUDO), mas não tenho, no momento, grandes reservas para o futuro e é agora que as coisas estão ficando apertadas, porque meu dinheiro está se acabando e eu me sinto um perfeito imbecil por causa de tudo isso. Poderia ter contribuído p/ ajudar alguma ass. de caridade, ajudar a mim mesmo com terapia (bem antes do que comecei, só em 1990) etc. etc. etc. Poderia ter viajado p/ a Europa (que ainda ñ conheço), mas certamente morreria de overdose de heroína (minha droga favorita, além do álcool) em Amsterdam ou algum lugar. Me sinto horrível, culpado e, novamente, um perfeito idiota com tudo isso. Legal, né? (Heroína é US$ 250 o grama.)

4. MINHA REPUTAÇÃO (MORAL, FAMA, COMO AS PESSOAS ME CONSIDERAM): Me acham louco, é claro. Não só por causa de meu não conformismo (sou considerado polêmico por ter assumido meu homoerotismo publicamente em entrevistas e em shows), mas até por referências à minha dependência química (e dependência química em geral) em algumas de nossas canções. Também porque o público em geral parece exigir um comportamento dionisíaco de um artista e a reação nas apresentações ao vivo (principalmente quando danço ou finjo desmaios ou — pasmem — simulo masturbação no palco) é sempre a mesma: "Esse cara deve ser muito louco, meu". Além do fato de que a maior parte das pessoas acha que só alguém que não é "normal" escreve canções "profundas", ou com conteúdo poético acima do normal, que tocam a sensibilidade de todos de um jeito especial. Naturalmente, os escândalos, meu comportamento agressivo quando bebo e até aspectos privados de minha dependência chegam ao público (e existem também os boatos — nunca se acerta, mas, como é de praxe nestes casos, chega-se perto da verdade: já estive internado em vários hospícios, meu uso de drogas é homérico — embora não faça apologia das drogas em minhas canções, pelo contrário — e até já "morri" umas duas ou três vezes. Já tive que telefonar e avisar meus familiares que continuava vivo, sim, qdo. uma rádio em SP deu boletins sobre minha suposta "morte" ou desaparecimento). Isso tudo é ótimo em nível de trabalho (publicidade gratuita) mas PÉSSIMO qto. à família, amigos e pessoas sensatas. O comentário típico é: "Mas logo ele, tão talentoso e inteligente, se destruindo desse jeito...". Todos parecem saber que tenho problemas, mas a atitude em relação ao artista parece ser: ele/ela é assim mesmo, é o preço da fama (vide Cazuza, Raul Seixas, Rita Lee, John Lennon, Janis Joplin, Jimi Hendrix, Jim Morrison, Kurt Cobain — sem comparações, é claro). No momento minha reputação é PÉSSIMA, e isso devido a incidentes que realmente aconteceram: problemas com seguranças em shows, violência física e verbal de minha parte, instabilidade emocional, escândalos públicos, e tudo por conta de drogas e álcool. Me sinto envergonhado e confuso por tudo isso e muitas vezes me questionei, por me sentir culpado de não estar sendo um bom exemplo para a juventude. O que eles parecem querer, no entanto, é um "mau" exemplo — um bêbado drogado que por acaso consegue ter a sensibilidade para fazer música que vai direto ao coração de cada um. De dois meses para cá, qdo. cheguei ao "fundo do poço", a imprensa começou a acompanhar meu caso com o interesse mórbido e sensacionalista próprio dos meios de comunicação de massa, e me dói muito ver meu rosto, nome e vida estampados nos jornais, junto com toda a ~~vergonha~~ e insanidade de meus atos. E tudo tem um fundo de verdade, já que realmente cheguei a perder o controle de minha vida — me sinto péssimo com isso.

5. MINHAS RELAÇÕES COM A FAMÍLIA E AS PESSOAS EM GERAL

Com minha família nuclear, a pior possível, durante muito tempo. Fui considerado o responsável pelo enfarte de meu pai, mal vejo meus outros familiares,* porque sempre encontro uma desculpa, e, já que sou tímido, sempre bebi em tais encontros para "descontrair" ou mesmo aturar situações entediantes (eu acha-

* E tenho a sorte de ter uma família muito unida, amiga e saudável, até, em suas relações.

va) e me comportava como um idiota depois da sexta dose. Já quebrei coisas, disse o que não devia, agredi pessoas física e verbalmente — sou extremamente venenoso qdo. embriagado, me dizem que fico (sic)[5] "com os olhos de um demônio", e agora, o toque final, estou tendo problemas sérios com meus vizinhos (vão chamar a polícia etc., por causa de gritos, barulho, música alta no horário de silêncio), até com os condomínios dos OUTROS prédios da minha rua. É tanta coisa que até a imprensa, agora, a partir do Carnaval, passou a acompanhar meu caso com o interesse mórbido e sensacionalista típico dos meios de comunicação de massa. Perdi uma grande amiga no começo do ano e meus amigos VERDADEIROS se afastam prontamente quando estou em crise, embora muitos se aproveitem disso para fazer festa. Tenho pensado muito sobre isso e acho que são esses falsos "amigos" que devo evitar. O problema maior começou este ano, quando realmente senti já ter "chegado ao fundo do poço", sentindo angústia, solidão e dor (até física, por vezes).* Tive que trocar meu número de telefone não só por causa de fãs obsessivos como também por causa de más companhias. Por mais paradoxal que possa ser, sempre preferi ser um dependente solitário (evitava cheirar cocaína em grupo, por exemplo, por achar, mesmo completamente fora de mim, as pessoas em geral idiotas e entediantes). Acho que cheguei ao ponto de NÃO TER relações com ninguém, perto da data de minha chegada à Vila Serena. E até hoje me sinto muito mal por causa disso e sinto ter desperdiçado minha vida.

* Quando parei de usar heroína, nunca me senti tão mal, é o pior pesadelo do mundo. E isso aconteceu duas vezes (a segunda foi um verdadeiro horror e sofri muito durante quase quatro dias). Passei mal várias vezes também durante o período de uso. Perdi a conta. Álcool então, nem se fala.

6. MINHA EDUCAÇÃO (ESCOLARIDADE, ESTUDOS, CURSOS, LEITURAS)

Não posso dizer que esse lado foi afetado pela minha dependência, justamente porque me utilizava do álcool para escrever e das drogas em geral para ler, estudar e trabalhar. Talvez devesse estar vivendo em vez de ficar em casa lendo W. H. Auden, por exemplo. Uma coisa sei: por vezes a leitura de jornais me servia como desculpa para minha dependência. Exemplo: "Este mundo está um horror inominável mesmo, então posso muito bem fugir e me entorpecer". Lembro que o que mais me chocou foi a morte de dois amigos (um eletrocutado e o outro afogado ao tentar salvar seu amigo), de dezenove anos, no show do Midnight Oil no Maracanãzinho, há cerca de um mês. Isso me deprimiu profundamente e me serviu como desculpa para chegar até a 60 mg de Valium* por dia, washed down com vinho, Cointreau e saquê. Também criei um círculo vicioso de ler e procurar ler sobre coisas que me deprimissem ainda mais (embora antes de tudo isso já lesse Rimbaud, Plath, tragédias de Shakespeare e filósofos "pessimistas" como Nietzsche e Kierkegaard). Para mim uma coisa justificava a outra, e me utilizava dessa depressão para escrever e me isolar. Exemplo: "Estes idiotas normais não sabem o quão trágica é a situação humana, e do planeta, neste fim de século". E eu não queria mais viver. Só pensava em morrer, e era a sério.**

7. MEU AUTORRESPEITO

Fiquei muito mais violento e prepotente do q. já sou, e arrogante; me achava um gênio incompreendido e, ao procurar por amor, comprando sexo, percebo que não tinha autorrespeito algum,

* Vinte mg de Buspar e às vezes 18 a 24 mg de Lexotan.

** Se ñ tivesse vindo a Vila Serena, provavelmente estaria morto antes de junho. Meu médico me disse isso e ainda tenho uma lesão séria no fígado que, por milagre, é reversível, com tratamento.

chegando, em tempos recentes, até a "brincar" com sadomasoquismo e role-playing. De bicha proustiana passei a bicha pasoliniana (à la *Salò ou os 120 dias de Sodoma*), e isso não me ajudou em nada, embora deva admitir que ainda acho que algumas dessas experiências me servirão de alguma coisa, ao completar e continuar minha recuperação. Mas tive crises profundas de solidão, autopiedade (quase uma coisa física, por vezes) e uma saudade intensa do único relacionamento que consegui prolongar por mais de seis meses;* com um rapaz dois anos mais novo que eu, um americano que conheci em San Francisco (USA) e veio morar comigo quando me mudei para meu novo apartamento em 1990, S. O motivo? Minha (nossa) dependência química.** Vejo hoje que nunca tive alguém, o que mais queria e quero em minha vida, talvez (com certeza) por não me respeitar e sempre procurar relacionamentos de dependência (como no livro *Mulheres que amam demais*). E ainda existe muita, muita coisa que não lembro, principalmente de dois meses p/ cá. Sei que, devido à minha personalidade e minha posição, as pessoas exageram seus relatos (principalmente por exemplos que aconteceram nos meus intervalos de abstinência, que foram poucos mas relativamente longos, quando estava sóbrio e lúcido e ouvia o disse me disse sobre o que EU tinha dito, feito etc.),*** mas não posso ter certeza destes últimos meses, porque já estava completamente dependente de Valium, Buspar, Lexotan e álcool (e a maconha ocasional). Pelo menos nunca usei pico, mas isso não significa nada. Como disse, QUE autorrespeito? Minha vida girava em torno da minha depen-

* E que também não deu certo.

** Não sei onde ele está e imagino se ele já não está morto. Não sei. A última vez que nos falamos, ele estava em um hospital, por causa de um acidente de moto, causado por drogas e álcool, é claro.

*** E nada era verdade.

dência, muita culpa e preocupação. Me senti culpado e envergonhado a maioria das vezes.

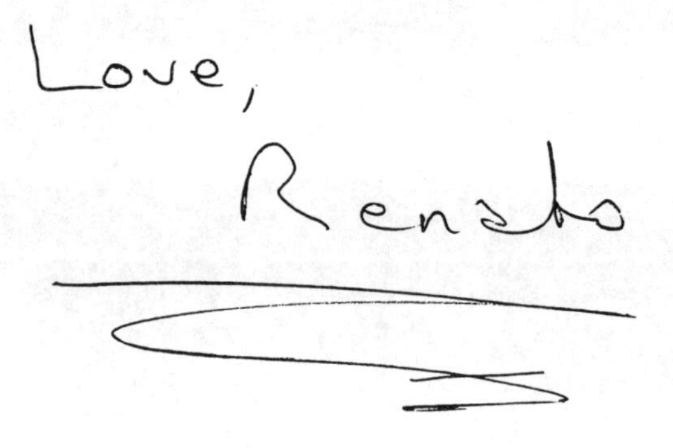

PS: Os "legal, né?" são comentários irônicos, algo para facilitar relembrar todo este pesadelo, e não cinismo barato. C'est tout.

Que bom que aquele monstro
foi embora. Vamos ser felizes
de novo? É o que mais quero!

08/04/93

O depoimento de M.; não estar de mau humor (no primeiro dia estava péssimo, cabisbaixo e não quis me comunicar com ninguém). Também gostei muito da carne assada e da palestra de El. E acho que até participei de forma interessada p/ meu primeiro dia.

09/04/93

Fiquei um tanto decepcionado com a palestra sobre medo (achei a explanação confusa), mas adorei a atividade dinâmica (principalmente imitar os outros). Por minha posição no mundo exterior sinto que, lá fora, as pessoas não expressam seus sentimentos e aqui, em V. Serena, posso ser exatamente como sou (e tento ser lá fora, mas lá não existe interesse e estão todos apavorados e carentes, e são quase todas pessoas ignorantes, quando não burras — existe uma diferença!). Eu me adoro, eu não gosto é do mundo (como disse no final da dinâmica). E fiquei especialmente comovido com o uso de Whitman — excelente ideia — e quando Mc. chorou. (Eu acho ele um gato e espero não ter problemas com isso. Ha-ha.) Aqui me sinto seguro porque percebo um verdadeiro sentido e sentimento de amizade entre todos (o que sempre procurei em minha vida). Posso estar completamente equivocado, mas sinto que minha dependência sempre foi provocada por esse sentimento de ser genial, inteligente e gentil e nunca ter retorno. Talvez meu problema tenha sido justamente me achar especial demais e, para enfrentar o tédio e a estupidez do mundo, utilizar-me das drogas p/ poder baixar o nível. Também gostei da citação do Eclesiastes (um tempo para plantar, um tempo p/ colher et al.). Meus colegas de quarto são legais e espero que tudo isto não seja apenas euforia vazia. E o almoço de Sexta-Feira Santa estava ótimo. Foi bom ter recebido a visita de meus primos e minha tia e ótimo ter descansado à tarde.

Foi muito bom também ver a felicidade de J. e suas filhas e todos em geral (embora Mc. tenha ficado um pouco jururu por não ter vindo ninguém p/ vê-lo). E, oh, céus, Mc. é casado e tem uma filha! Bem, ninguém é perfeito e continuo achando ele um gato. Agora, CARNE na ceia da Sexta-Feira Santa é um tanto demais. Conversamos bastante à noite, eu e os colegas, após a reunião do NA[6] (que me deixou bastante chocado). Não entrei como membro porque, embora tenha gostado dos depoimentos das duas meninas (não lembro seus nomes), achei o rapaz que falou por último radical e extremo (parece que agora a vida dele se resume ao NA e, além do mais, não gosto, nem nunca gostei, de traficantes em geral, mesmo que reformados). Dormi bem e sem problemas (a não ser uma coceira permanente no corpo, como se tivesse pulgas — mas dr. W. disse q. isso é devido à desintoxicação). Um dia de cada vez.

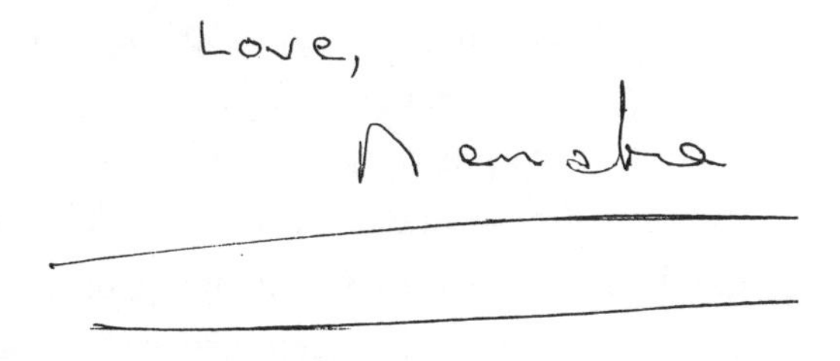

PS: O PONTO FRACO DA MINHA PERSONALIDADE Q. ESCOLHI PARA MELHORAR ESTA SEMANA: impaciência (e também agressividade e melancolia). Tenho me sentido bem (normal).

10/04/93

O dia inteiro, embora esteja exausto. Saber que meu T4 subiu para 1,6 foi muito bom, a visita dos meus pais foi boa para mim e eles realmente gostaram daqui. Foi bom o encontro das famílias, a dinâmica do barbante, a despedida de R. e todas as atividades do dia em geral. Mas estou entediado e ansioso, por alguma razão. Queria ficar sozinho com quem amo, mas não tenho namorado. So what. Meu filho vem amanhã, e vai ser ótimo. Fora isso, os mosquitos me incomodam e estou REALMENTE cansado, exausto quase (meu pulmão direito ainda dói). E o dr. Sl. sempre me deixa um tanto ansioso, boas notícias ou não. Nem sei se vou usar o Dream-Machine. Acho que a chegada do novo interno me abalou. Hoje pelo menos achei tudo muito estressante — mesmo que tenha sido um dia muito positivo. Acho que vou dormir cedo. Minha meta de ser paciente e atencioso (etc.) é bem extenuante. Mas tudo bem.

Love,

Renato

PS: O *Jornal Nacional* (ou algo) me deixou MUITO deprimido e fui dormir cedo MESMO.

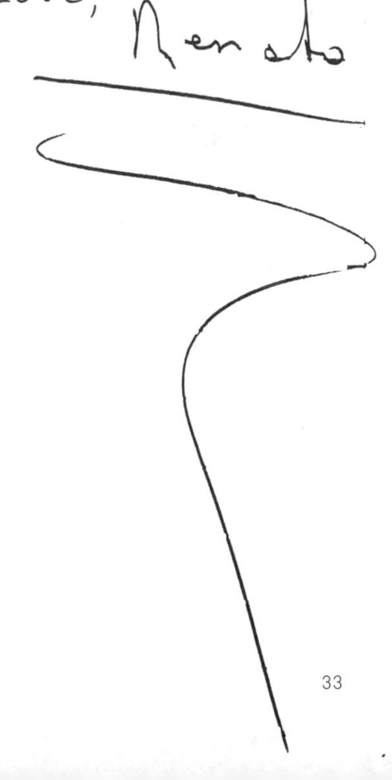

11/04/93

Hoje o dia foi bom, adorei o Ayrton Senna ganhar a corrida. A reunião do AA[7] foi boa, mas no final já estava com sono. Não estou em processo de desintoxicação nada, i.e., não é isso que me faz coçar o corpo inteiro, e sim escabiose (horror dos horrores). Acordei mais cedo p/ tomar banho com a loção que meu médico recomendou. Eu SABIA que homeopatia ñ ia funcionar em um organismo tão maltratado qto. o de um dependente químico. Dormi mal, mas acordei bem. Meus parentes me trouxeram mais loção, lençóis, toalhas etc. Meu filho veio me visitar (é Páscoa!) e em geral foi tudo bem. Ontem estava MUITO deprimido, hoje estou me sentindo normal. O sr. A. é ótima pessoa, e foi bom ter crianças correndo pelo pátio etc. Sempre gosto das atividades e hoje, por ser domingo, fizemos pouco, mas foi bom. Estou mais seguro e confiante do que ontem, mas é por volta do entardecer que fico meio deprimido, não sei por quê. Foi bom que meus pais tenham vindo, e minha tia e minha priminha Thayssa, mas, por algum motivo (culpa? vergonha? tédio?), não fico tão feliz qto. acho que deveria ficar com as visitas. Também estou menos cansado do que ontem, qdo. estava exausto. Só agora é que o tempo começa a se fixar e começo a me lembrar de coisas e eventos (antes me confundia todo ainda). All in all, um bom dia. É perto das seis, não quero mais trabalhar porque aproveitei meu tempo livre para escrever meu 1A e não sei se o resto da noite vai ser tranquilo como foi o dia. Espero que sim.

12/04/93

Como os próprios colegas lembraram, estou "aterrissando" em V. Serena agora. Adorei a Mn. e me identifiquei muito com ela. Por algum motivo (é sempre por algum motivo...!) estava muito feliz na hora do almoço: o sol, o almoço foi bom (sorvete!), mas a parte da tarde foi um tanto exaustiva, informação demais. Notei que todos se soltam cada vez mais (principalmente Mc., depois de contar sua história, que — pena — não pude ouvir, e E.). Gostei muito da interpretação dos desenhos e da conversa com meu coordenador, embora tenha, devido ao "peso" de tanta informação, ficado um pouco desatento (e sonolento até) durante a palestra sobre dependência química vs. emocional. A despedida de Mc. me emocionou (quase chorei), e devo confessar que não sei realmente se ele vai conseguir — espero que sim! GA[8] é sempre uma maravilha, comprei um livro recomendado por uma amiga, *Viver sóbrio*, e gostei muito dos capítulos que li de *Seus pontos fracos*. Culpa e preocupação: oh, yeah. Bem, fiquei um pouco ansioso por volta do jantar (sempre o entardecer), mas tomei um chá com um pouco mais de açúcar e isso me animou. Todos se animaram também — parece que o grupo tem uma dinâmica própria, que todos, de alguma forma, sentem mais ou menos o mesmo, ao mesmo tempo! Será o Poder Superior? ♡ Agora temos AA e pretendo tomar banho e passar a loção (ugh.) p/ escabiose, que está indo embora mas MUITO gradativamente. Gosto muito daqui — pelo menos é o que estou sentindo hoje. Gostei também da Ln., que não conhecia.

Love,

PS: Bons sonhos!

Renato

13/04/93

6H30 P.M.

Achei muito bonito a G. mostrar um lado mais humano. Já estava achando ela mais parecida com um robô (lhe disse isso). Adorei o vídeo, aprendi muito e achei divertido também porque adoro dublagens baratas (sem ofensa). Resolvi (acho que sim e tive a confirmação disso no GA com os colegas) meu problema com o GT[9] (ver primeira linha). Tenho problemas com figuras de autoridade, regras, fascismo (mesmo inexistente, mas não se pode ignorar o que se sente), e isso está bem enraizado em mim, principalmente porque é uma das razões para que meu trabalho fosse tão bem-aceito pelo público (a maioria dos jovens pensa o mesmo, até qdo. ñ consegue expressar esse sentimento) — é o que coloco nas letras e o que represento como figura pública (o rebelde). De qualquer forma, acredito já ter resolvido isso, porque a partir das palestras sobre assertividade e autoestima, em vez de me fechar, perder a paciência e o bom humor, expus o problema, e agora é dar tempo ao tempo. Hoje aterrissei em VS para valer e foi com um CRASH! BOOM! Mas as coisas são assim mesmo. Gostei muito de nossa conversa e — surpresa das surpresas! — em menos de uma hora já estava bem e feliz (embora ao entardecer...). Vamos ter NA (o que não gosto — fiquei membro do AA, e é tudo muita informação de uma vez só, mesmo — e principalmente! — para mim) daqui a pouco, e depois pretendo dormir cedo. Gostei muito da palestra da Ln., embora esta questão de dependência (quím., pessoas) mexa muito comigo ainda. Acho que trabalhei minha impaciência e agressividade muito melhor do que no passado (não há comparação). Imagine como era qdo. eu bebia! Mn. veio me dizer q. ficou feliz com o que escrevi sobre ela e seu trabalho, e me lembrou que já nos conhecíamos desde quarta-feira, qdo. cheguei (mas ainda estava sob o efeito de —). Gostaria de apresentar algo q. tentei controlar e ñ consegui hoje, mas acho q. me saí muito bem com minha impaciência e imediatismo. Estou ótimo (e sem ressentimento algum!). "Vá com calma, mas vá!" Talvez tenha tentado controlar minha "melancolia-das-6-h-da-tarde", mas acho que deixei as coisas tomarem seu rumo.* Estarei manipulando meus sentimentos? Não sei — tenho MUITO o que aprender. Acho q. tentei controlar meu desconforto com O NA, mas também ver *.// E a reunião foi maravilhosa.

8H50 P.M.

Love,

Renato

Mas acredito sinceramente que
estou me esforçando, que sou
honesto e que já consegui
meu 1º passo! ♡

GS[10]/ TEMA: COMO SABOTAR SEU TRATAMENTO.

Me identifiquei com o vídeo todo. Em especial com o médico que tinha uma atitude prepotente ("Mas sou um médico!") e não queria reconhecer seu problema. Também com Beth (o elo da narrativa), que colocava a causa de sua doença em fatores externos (bebia porque seu filho era problemático etc.). Achei bem oportuna a lembrança de que os problemas de Beth DECORRIAM da bebida (e sua dependência de tranquilizantes, outro fator de identificação), e não o contrário. Não há muito mais o que dizer além do fato de que fiquei surpreso com os métodos e inter-relacionamentos no filme serem IDÊNTICOS aos de Vila Serena e nossos (meus) problemas também serem iguais. Tudo, desde a história de Mike a questões como desligamento ("A vida é sua!") e o "desfocalizar" até a necessidade de seguir as regras, me pareceu ótimo e relevante. E ADORO dublagens tipo sessão da tarde ("Mas, uh, Mike, você não está sendo sincero, compreenda... Esta é a história de Beth..."), o que tornou a experiência divertida também. Love,

Renato

PS: Não acredito estar sabotando meu tratamento. Se estiver, é com meu martelar nesta questão do uso da palavra "Deus" constantemente (o que me incomoda um pouco), e isso não foi tratado no vídeo, que me lembre. Talvez racionalizando demais ou não entrando firme em contato com meus sentimentos ou não trabalhando minha autoestima corretamente. Mas acredito sinceramente que estou me esforçando, que sou honesto e que já consegui meu primeiro passo! ♡

IDENTIFIQUE CINCO COMPORTAMENTOS AUTODESTRUTIVOS NO PASSADO. COMPARTILHE ESTES EXEMPLOS COM O GRUPO NO GT. DÊ EXEMPLOS ESPECÍFICOS. PEDIR RETORNOS DE COMO MELHORAR SUA AUTOVALORIZAÇÃO (BAIXA AUTOVALORIZAÇÃO).

1. Em agosto de 1990, quando estava morando no Marina Palace Hotel, no Rio de Janeiro, e alternando meu uso de álcool com heroína (os dois juntos não combinam), passei uma noite me queimando no rosto e nos braços com cigarros acesos. Fiquei com feridas bem visíveis, de até um centímetro de diâmetro, especialmente no braço esquerdo e na testa. Só senti um pouco de dor, e uma compulsão masoquista me levava a aumentar cada vez mais as feridas e queimaduras, que, por sorte, cicatrizaram sem deixar sequelas, em dois meses. Não me incomodei com o fato porque nesse período estava completamente anestesiado por minha dependência química. Me senti vazio de sentimentos e emoção, a não ser por ansiedade.

2. Meu uso de heroína entre agosto e outubro de 1990, tanto no hotel onde morava como em viagens para shows e apresentações ao vivo pelo país (principalmente Minas Gerais, São Paulo e Rio de Janeiro). Quando tive os primeiros sintomas de abstinência, entrei em pânico, porque é o pior pesadelo, um vazio espiritual e uma angústia terrível, acompanhados de muita dor física e desconforto. Isso durou dois dias na primeira vez (cheguei a tomar + de 100 mg de Valium para tentar dormir) e quatro dias na segunda interrupção do uso (porque voltei a usar a droga — que é minha droga de preferência — assim que entrei em contato com o fornecedor novamente). Lembro que da segunda vez tentei de tudo para minimizar a dor e o pânico, e nada adiantou. Nem Valium, ou massagens, preces, banhos quentes, ter com-

panhia de amigos, outras drogas. Decidido a parar, por causa de meu trabalho (nessa época já não deixava nada interferir no meu desempenho em palco, só fora dele), voltei ao álcool, maconha e tranquilizantes. Vivia um estado de euforia ou depressão, medo ou sedação (e falta de contato com a realidade). No fundo achava muito romântico e até heroico estar me destruindo assim.

3. Até que chegou o último show da turnê (por sinal, a mais bem-sucedida até então, a do disco *As quatro estações*).[11] Me drogava e bebia muito um dia ANTES e sempre depois da apresentação. Íamos para Volta Redonda de ônibus, e tive que ter acompanhamento psiquiátrico a viagem inteira (na pessoa do dr. Paulo Moraes), além do uso de muitos sedativos e vitaminas, para diminuir meu sofrimento. Senti muita frustração e confusão (mental e espiritual até). Fiquei o dia inteiro trancado no quarto do hotel enquanto todos se divertiam, animados e sem maiores preocupações. Me lembro que rezava para que chovesse e o show fosse cancelado, já que não queria enfrentar o público. Abrimos esta última apresentação com "A Whiter Shade of Pale", que descrevia meu estado perfeitamente, e, já no palco, não tive maiores problemas. Deveria ter sentido a culpa de sempre, mas o alívio por não ter que subir num palco depois desse show era tão grande, que voltei a me anestesiar (com tranquilizantes e álcool) e a me fechar em mim mesmo, com risco de vida.

4. O período todo entre julho de 87 e maio de 88 aproximadamente foi marcado por meu uso intenso de cocaína e álcool. Um parente meu comprava a droga para mim, eu dava o dinheiro. Eu cheirava junto com meu namorado (morávamos na casa dos meus avós, antes nossa casa, na ilha do Governador, onde passei parte da infância), enquanto meu parente se picava. Passamos mal muitas e muitas vezes. Foram incontáveis as semanas de completa autodestruição: não me alimentava, ficava trancado em meu quarto lendo, ouvindo música e assistindo vídeos, e dormia de dia e ficava acordado até as 8h da manhã, sempre. Me isolei e só tinha contato com o mundo pelo telefone. Foi um período de muita compulsão sexual também, quase sempre mal resolvida, o que me trazia raiva, frustração, e me levava a exagerar cada vez mais o uso da droga. Entrei em pânico completo pelo menos uma vez, quando tive que pedir para chamarem um médico. Nem tive vergonha ou culpa, tal o meu estado. No final desse período, já tinha brigado com meu parente e com meu namorado (eles agora eram melhores amigos). Meu namorado foi morar com esse meu parente e sua família (morávamos na mesma rua), e me senti frustrado e só. Quase morri de overdose ~~um~~ incontáveis vezes (às vezes nem chegava a perceber meu estado), o que, além do medo, me causava um sentimento de culpa muito intenso e constante e um isolamento cada vez maior, um ressentimento em relação a todos q. me cercavam e raiva do mundo. Nessa época não queria perceber o estado em que me encontrava e senti muita dor emocional e solidão.

5. Após um período de abstinência devido a uma hepatite B muito séria (quase morri, novamente) e dois anos de análise, tive uma recaída e voltei ao álcool e tranquilizantes, dessa vez já consciente do meu problema: agora eu iria até o fim. Não me importava mais com nada, só tinha pensamentos e emoções extremamente negativos, minha compulsão sexual voltou (por vezes, eram cinco meninos por noite, toda noite) e eu só pensava em morrer. Foi esse período, de dois meses para cá, que foi "o meu fundo do poço". Fingia estar bem para o mundo, mas todos sabiam dos meus problemas, até q. tudo foi parar nas páginas do Caderno B e do Segundo Caderno (*JB*, *O Globo*), até em jornais de SP (*Estado*, *Folha*). Meu analista conseguiu finalmente me convencer a uma internação e vim a achar Vila Serena. Estaria morto antes do final do ano (era esse meu objetivo), e minha autoestima era inexistente. No final só sentia raiva, autopiedade e inadequação. Foi como cheguei aqui.

14/04/93

Foi um dia muito importante para mim. Entrei em contato com a realidade. Tenho que ser menos imediatista e devo reestruturar meu perfeccionismo (que considero uma qualidade). Trabalhar tudo que foi colocado em nossa conversa (que foi MUITO importante). Simplificar. Acho que vou levar um certo tempo para completar as tarefas, vou refletir. Tentando não cair nas armadilhas e becos sem saída causados pela minha própria dependência (tanto química qto. em nível pessoal). Situação que tentei controlar e não consegui: não consegui controlar minha confusão mental, embora não me sinta (não esteja me sentindo) mal. Estou me sentindo amparado espiritualmente por algum motivo, o que é bom. Estou confuso mas também tranquilo (se isso é possível). Todos perceberam uma mudança na minha atitude no GA e sinto que não estou em condições agora de (para) identificar os meus sentimentos. N. me ligou e conversamos. Foi bom. O número dela é —.// E ótimas notícias! Não houve manipulação emocional (por parte da minha família) — uma possibilidade que me incomodou muito por sua improbabilidade e falta de senso —, e sim ruído de comunicação! Foram recados não dados etc. E, no caso do dr. Sl., atraso na informação mesmo. Mais alívio. E a confusão mental também não se faz tão presente, agora que (depois de um único telefonema) tudo clareou bastante (pelo menos esses incidentes que estavam me causando ansiedade — e que eu — por mecanismo de defesa? — estava evitando enfrentar). Adorei a palestra do Jh., da G., tudo. Pena (palavra ruim) ter perdido a palestra de última hora de El. (não estava programada; eu pensei que no horário de nossa conversa, que se estendeu bastante até, haveria avaliação) sobre sexo e dependência química, mas pedi uma bibliografia, e ela se dispôs a copiar suas anotações e conversar comigo e tirar dúvidas. É gozado, acho ela parecida com a Shelley Long (atriz cômica americana). Bons sonhos. △ ☾ ♡ ∞

15/04/93

Situação que tentei controlar e não consegui: depois de contar minha história, não consegui parar de pensar no S. Mas acredito que não houve autopiedade, foi uma coisa natural. Me lembrei tanto das coisas boas qto. das ruins. Só que tentei parar com a saudade e não deu, então é melhor deixar acontecer. Oh, well. Fiquei surpreso com meu bloqueio em relação ao Giuliano[12] e tudo, mas não-quero-falar-sobre-isso-agora (e de qualquer maneira ele vem me visitar no domingo novamente). Admito que fiquei um pouco ansioso — conflito! —, sempre é ao entardecer, mas tudo bem. Espero não ter problemas (não criar problemas) com o L. E. dormindo na cama ao lado. É que eu acho ele um tanto chato, mas o que fazer? É uma boa oportunidade para treinar desligamento, paciência e compreensão. Vou reforçar a sugestão de um colega e colocar também no livro preto q. acho uma boa ideia podermos assistir outros vídeos do programa à noite, depois da janta, qdo. temos tempo livre. J. vai embora e vou sentir sua falta (além de ter saudades) — são duas coisas diferentes, eu acho. Hoje remexi no baú e fantasmas estão voando ainda à minha volta, por toda parte — lidar com isso com maturidade, Renato! O bloqueio persiste, no entanto; bem, ninguém é perfeito. Vou tomar banho e estou com uma preguiça danada de ficar no banheiro esperando aquela loção antiescabiose secar (o homem-cabide)! Gostei das palestras, ganhei satisfatório na tarefa (GT — grupo terror!) e você tinha (obviamente) razão. Adorei gastar meu inglês com o Jh. e com a Gl. (a americana do ambulatório). Sou muito bom nisso (oh, yeah), pode perguntar. No mais — um dia de cada vez. Li sua palestra e vou tirar uma cópia amanhã, e li os cinco primeiros capítulos do livro (que estou achando o.k. também). Minha tia ligou e foi ótimo, a saudade clareou um pouco. Adorei a palestra do dr. W. (ele me lembra MUITO o meu pai). Tenho tido mais respeito e admiração por G., a cada dia que passa — como me perco em fantasias e prejulgamentos ainda! —, ela é realmente admirável, aliás como todos aqui em Vila Serena (sem confete). Adoro a X. também, ela é supercarinhosa comigo (e com todos) e sinto (também por parte das outras meninas da limpeza e do refeitório) uma atenção e carinho especiais por mim. Eh, vida! Bons sonhos. Vou deixar a segunda tarefa p/ segunda-feira (eu acho). Bons sonhos, again, Renato. Podemos (e gostaria muito de) conversar sobre a palestra, qdo. tivermos tempo. Δ ☾ ♡ ∞

16/04/93

Situação que tentei controlar e não consegui: minha impaciência e irritação com essa escabiose (ugh!) que hoje espalhou um pouco mais (até os braços). Deve ser emocional. E o mesmo com L. E. (que eu acho L-E-N-T-O e com cara de bobo alegre). Que dia. O lema que escolhi p/ hoje foi "Não se desespere" e (imagine aqui uma das caretas gozadas do Jh.): ai-ai-ai-ai-ai. El. me deu cópia de sua palestra, que li e achei muito relevante (ao meu caso e à minha experiência). Gostaria de conversar sobre o GFR[13] também. Hoje me senti cansado e até desanimado. (Não quero me alongar, explico mais tarde — em outra FES.)[14] No entanto, a palestra sobre assertividade veio a tempo (em tempo) — foi um bom reforço para a decepção que foi a saída de Mn. Senti um leve arrepio orwelliano — se tivesse sido você, sinceramente não sei qual teria sido minha reação (a esta altura do tratamento). Achei o processo todo pouco ético (mas posso estar fantasiando e, além do mais, é comigo que devo tentar trabalhar no momento). A melhor coisa do dia foi seu retorno. Bons sonhos, Renato. △ ☾ ♡ ∞ Aconteceu muita coisa (as palestras, a história do Sg., a alta de J....), mas, por-algum-motivo, só me lembro do purê de batata no almoço, que achei muito bom! △ ☾ ♡ ∞ // A reunião do NA foi ótima (T. me falou do grupo em Brasília), se bem que um tanto longa demais. Dormi bem.

17/04/93

E acordei mal, cansado, sentindo um mal-estar indefinido (indefinível?). Fiquei com um pouco de medo — por que estaria me sentindo assim? Uma sensação bem física mesmo. Bem, L. E. são águas passadas. Não me irrito mais, nem quero etc. O dia hoje foi interessante, mas muito exaustivo. Quero entrar em férias. Estou achando tudo muito puxado (parece que estou ficando estressado). Dr. Sl. veio me ver e disse que estou ótimo (mas não me SINTO ótimo). Quem sabe. — Sentimentos conflitantes o dia todo até agora, pouco antes do GA (5h p.m.). Estou confuso, ansioso. É esta a situação que não consigo controlar. Só queria descansar um pouco. O mundo lá fora me causa um misto de medo e indiferença (se isso é possível). Ainda não me firmei no programa — ainda não acho que vale a pena viver, embora seja bom (pelo menos percebo isso); pode ser muito bom. Estou cansado. Parece que nos esforçamos por nada, à toa. Quem sabe. Adorei a palestra do dr. W. Estou desanimado, também. Deve ser porque fiquei pensando no meu roteiro p/ um filme (tenho vários) que fico passando na cabeça: *Friends for the Summer*. Conto a história se v. quiser. É um *Manhattan* — gay (para variar). Os problemas e

E fiquei todo triste e sentimental. Autopiedade? ⟶

aflições dos outros me esgotam. Sinto um vazio, não consigo ter fé. E me atrapalha essa conversa de Deus, Deus, Deus — isso me esgota, também. Não percebo autopiedade, porque estou calmo, paciente e sereno. É melancolia mesmo. Uma sensação de que tudo está perdido. Sísifo, Prometeu, Orfeu. △ ☾ ♡ ∞ Bem, tudo passa, tudo passará. O GA foi um alívio e tanto. Pedi, no final, uma pilha dos colegas. Foi bom. Me pego querendo férias e penso: para onde ir, fazer o quê? Pensei e lembrei que era sempre: tranquilizantes e álcool (em Búzios, NYC, Fortaleza, em todos os lugares) — é algo que PRECISO trabalhar. Acho que estou indo bem, mas é tudo muito difícil. A palestra do dr. W. também me deixou abalado — aquele é um caminho p/ o qual ñ posso voltar. Aos doze passos, então! ∞ ♡

18/04/93

Fui dormir cedo e ouvi os colegas contando piadas homofóbicas no pátio (até começarem a falar de mim). Foi estranho, é algo com que devo trabalhar, meu coração disparou (e sabiam que estavam dizendo coisas idiotas, porque baixavam a voz às vezes, e, assim que eu entrei como assunto na conversa, o assunto morreu rapidinho — acho q. porque perdeu a graça, já q. sou bem honesto e sincero a meu respeito nesse aspecto). De qualquer forma, dormi bem, acordei bem melhor (mas pensando no que acontecera na noite anterior) e decidido a comentar o assunto (faria um minidiscurso sobre "preconceito" na comunitária),[15] mas não havia conselheiros — então preferi deixar p/ mais tarde (caso a situação se repita, também). SABIA que o filme era c/ a Linda Blair. Não o assisti, aproveitei para descansar. Estou me sentindo estranho, confio no programa mas já estou cansado de estar aqui. Quero voltar para minha casa. △ ☾ ♡ ∞

Descansei mais e fiquei feliz qdo. vieram meus pais, Giuliano e Thayssa (minha prima), tia Socorrinho e meu avô me visitar, e depois Sandra (minha secretária) e L. (meu melhor amigo). Foi muito bom e minha ansiedade cedeu naturalmente. Depois teve GA (ótimo poder compartilhar) e CHURRASCO!!! (Minha mãe trouxe a churrasqueira do tio Cláudio — nossa família é assim mesmo!) Situação que tentei controlar e não consegui: minha ansiedade. Agora estou satisfeito e feliz e mais descansado. São 7h30 p.m. Pretendo dormir cedo (Sandra me trouxe vitamina C e mais incenso) — depois de passar a loção etc. E o churrasco foi ótimo. Espero dias melhores a cada dia. Bons sonhos. △ ☾ ♡ ∞ ⟷

PS: No GA percebi que não era o único a querer voltar para casa. Ct., E., M. e Rl. disseram o mesmo. Poder superior! Sabemos que o mais importante é o tratamento e conversamos bastante sobre isso. △
PPS: O Mc. está mais gato a cada dia q. passa. Explode, coração! (brincadeirinha…) △ ☾ ♡ ∞ ⟷

FAZER UMA LISTA ONDE CONSTEM SITUAÇÕES NAS QUAIS VOCÊ SE SENTIU COM MEDO, RAIVA, INSEGURANÇA, AUTOPIEDADE, INADEQUAÇÃO, INFERIORIDADE, DESPREZADO, RESSENTIMENTO E SOLIDÃO. DÊ UM EXEMPLO PARA CADA SENTIMENTO. APRESENTAR NO GT.

1. MEDO

Em agosto de 1990, quando estava usando heroína e morando no Marina Palace Hotel com S., meus pais vieram ao Rio, para seu apartamento na Tijuca, com meu filho, Giuliano. Um dia ensolarado, minha amiga P. veio me pegar no hotel p/ visitarmos meu filho e meus pais. A heroína me deixava eufórico e satisfeito, e tinha a ilusão de que meu mundo se tornara perfeito: estava me alimentando bem, me sentia feliz e sem problemas, e nesse dia não foi diferente. Só que, ao chegarmos, logo me veio um pânico gradual, taquicardia e pressão alta, o que tentei resolver com um chuveiro gelado e concentração. Não deu certo (além de todos estranharem que estivesse tomando banho àquela hora do dia, e naquelas circunstâncias). Meu filho estava sendo medicado com Cataflam (para uma inflamação no ouvido) e, ao sair do banho, comecei a brincar com ele para tentar me acalmar, notando que ele estava mole e estranho, parecendo fraquinho e com sono. Meu problema piorou e resolvi descer ao playground, para tomar ar e andar um pouco. Não entendia como aquilo estava acontecendo, já que achava que o quadro era, ou estaria, ligado ao uso de estimulantes (cocaína, por exemplo), e não a uma droga como a heroína (que é um downer). Estava em pânico completo e pensei que fosse morrer. Liguei p/ S., que já tinha voltado da praia, e implorei para que ele viesse me ajudar. Foi uma dificuldade explicar-lhe a localização do apartamento (ele viria de táxi) e também o meu estado (ele achou que eu estava exagerando). O que tinha acontecido era que eu tinha cheirado demais, e a droga era de primeira qualidade (heroína branca, tailandesa). Só consegui começar a me acalmar quando ele chegou e me abraçou e me beijou e disse as palavras mágicas: "It's okay". Mais tarde subimos ao apartamento (isso tudo deve ter levado quarenta minutos, que para mim pareceram HORAS), mas não havia ninguém lá. Não entendi nada, até receber notícias, através de minha irmã, de que estavam todos no hospital: Giuliano quase morrera por conta de um choque anafilático (em reação à medicação) — NO MOMENTO EM QUE DESCI AO PLAYGROUND (em pânico completo). Até hoje não sei se isso foi sincronicidade, coincidência ou se nós "captamos" o problema um do outro, por algum motivo misterioso e inexplicável. Já senti medo várias vezes, mas essa deve ter sido a ocasião mais memorável. Mais tarde, já no hotel, prometi a mim mesmo que só usaria a droga no dia seguinte, em quantidade bem menor, promessa que eu acho que não cumpri.

2. RAIVA

No começo deste ano, um ex-namorado meu, que insistia em me perseguir (às vezes telefonava durante HORAS seguidas, de dez em dez minutos, para deixar recados na minha secretária eletrônica ou tentar falar comigo), conseguiu localizar meu endereço e prontamente retomou sua perseguição, só que dessa vez pelo interfone. Estava em casa com minha irmã, minha amiga P. e alguns amigos (outros estavam por chegar). Desci para convencê-lo a ir embora, mas fraquejei e deixei que ele subisse. Tivemos uma discussão, e eu o agredi repetidamente com tapas e socos (a pedidos). A essa altura já estava embriagado e sem controle dos meus atos. Disse a ele que não era responsável por ele, que não o queria mais (eu o amava realmente, mas ele me deu um belo de um fora, o que acontece sempre: depois, por-algum-motivo, o cara percebe que me amava de verdade e quer voltar, mas aí já não sinto NADA pela pessoa, já que não aceito ser rejeitado por quem amo, de forma alguma, e aprendi a anular meus sentimentos quando isso acontece) e que esperava que ele compreendesse e me deixasse em paz, ainda mais depois de levar tanta porrada. Consegui o meu intento e desci para beber mais Cointreau e comemorar, só para descobrir, ao voltar para o apartamento, que ele tinha aproveitado minha breve ausência para tentar subir de novo. P. abriu a portaria sem verificar quem era e, ao chegar, ouvi dela um lacônico e estúpido: "O seu ex tá lá no seu quarto de novo". "Como?", perguntei. Ao saber, fiquei uma fera, fui agressivo com ela e com minha irmã (o que terminou minha amizade, talvez para sempre, com minha melhor amiga), afugentando todos de minha casa. FORAM TODOS EMBORA, com exceção de uma amiga de Brasília que estava hospedada em minha casa por intervenção de P. e um membro da equipe do Legião, também dependente químico. Os dois, como eu, também estavam já fora de si (com álcool e o que mais). Foi um sacrifício tirar ele do apartamento. Ele ameaçava se matar, quebrou minhas janelas e se cortou com cacos de vidro, manchando meu quarto (tapete, lençóis, paredes) com sangue. Gritava repetidamente: "Te amo! Te amo!", o que me enfureceu ainda mais. Finalmente nós três conseguimos tirá-lo de lá (não sem antes ter que procurá-lo pelo apartamento quando achamos que ele já tinha ido embora, para descobrir que ele estava escondido embaixo da cama). A confusão, a gritaria e o barulho foi tanto que um vizinho prontamente pegou seu revólver e deu um tiro, pensando se tratar de algum assalto, o que quebrou mais um vidro da minha janela — poderia ter acertado alguém. Nem sei onde a bala foi parar, só sei que decidimos sair do apartamento: a amiga que estava hospedada em minha casa iria se encontrar com P., que tinha telefonado e a esperava com os outros em uma sorveteria ali perto. Ela me convenceu a ir junto e fomos, a pé. Paramos em um bar para beber mais e comer alguma coisa. Eu estava vestindo uma calça que precisava de cinto, mas na confusão não levara um cinto e as calças ficavam caindo. Tive que amarrá-la na cintura com um barbante, o que me incomodava muito. Ao vermos o carro de P., acenamos, mas esta, ao me ver, bateu em retirada, novamente nos deixando na mão, e a mim com mais raiva. Decidimos então ir para o Mariuzinn (discoteca em Copacabana) para esquecer, beber mais e dançar. Tudo ia razoavelmente bem até que, por causa do calor e também por não poder dançar direito, já que minhas calças ficavam caindo, decidi ficar de bermudas, o que causou um escândalo (a dona da discoteca pensou que fosse um striptease) e, no meio da gritaria e discussão, fomos prontamente expulsos. Fiquei com mais raiva ainda. Agora já estava realmente a ponto de explodir. Decidimos então ir à Le Boy, uma boate gay ali perto. Já estava completamente sem humor e fiquei com raiva de todos ali. Nem bebi meu drinque, tal a minha fúria. Me despedi dos dois após a segunda música que ouvimos e fui para casa a pé, descalço, com meus sapatos na mão, fumegando de raiva e amaldiçoando a tudo e a todos. Estava com raiva de tudo, de mim e do mundo.

3. INSEGURANÇA

PS: Chegando em casa, vi que a porta do quarto onde ficava

minha amiga estava fechada. “Que bom”, pensei, “ela já voltou.” Foi só para descobrir, no dia seguinte, quem era: meu ex! Gritei desesperado e o agredi fisicamente até que ele saísse do apartamento. Joguei suas calças pela janela e fui dormir. Estava exausto. Meu apartamento estava um caos. Quando acordei, me veio uma depressão profunda (não tive apagamentos nem ressaca) — um sentimento de insegurança intenso também. Que estava fazendo? Que rumo minha vida estava tomando? Não consegui ficar em casa, achei mais seguro passar a noite com meus pais, na Tijuca. Senti raiva, ressentimento, solidão, mas a insegurança, em relação à minha vida, minhas atitudes e meu futuro, falou mais alto. Só com meus pais e meu filho me senti um pouco mais seguro. A ressaca e a culpa vieram no dia seguinte.

△ ☾ ♡ ∞

4. AUTOPIEDADE

No final de julho, começo de agosto de 1990, S. teve que voltar para os USA. Ele tinha sido a pessoa que eu mais amara em minha vida, nos encontramos em NY no final de 89 e desde então sempre nos falávamos por telefone e por carta. Fiquei desesperado quando ele foi preso por suas várias infrações no trânsito, ligava do Rio de Janeiro para delegacias em San Francisco, prisões, serviços de informação. Até que consegui localizá-lo, ele estava no Centro de Detenção de San Mateo, em outro município. Senti muita autopiedade e romantizei ainda mais meus sentimentos, reforçando minha promessa de fazer tudo por ele, meu verdadeiro amor. Mas nada comparável à nossa despedida no aeroporto quando ele teve de voltar a San Francisco, depois de passarmos cinco semanas juntos, de frente para o mar, em um apartamento cinco estrelas no Leblon, no hotel onde estava morando. Chorei,

chorei — estava um trapo. Na volta para casa (acho que ele chorou também e ficamos de mãos dadas no carro o tempo todo) me senti o mais romântico dos mortais, lembrando tudo e sentindo muito sua falta; uma autopiedade intensa além da saudade e tristeza naturais em tal circunstância. Fiquei semanas bebendo, escrevendo cartas de amor e ouvindo músicas tristes, e depois entrei fundo na heroína, me sentindo o mais triste e injustiçado dos humanos.

5. INADEQUAÇÃO

Fui convidado, há cerca de três anos (julho 1990) para uma reunião informal na casa de Regina Casé, pelo meu então amigo, o-antropólogo-Hermano-Paes-Vianna-Filho (voltamos a ser amigos este ano); só fui depois de me certificar VÁRIAS VEZES que era uma reunião e só (porque sou muito tímido e estaria na companhia de S., P. e minha irmã, Carmem). Pegamos Moreno, filho de Caetano, em sua casa e lá fomos, felizes (e eu ainda um tanto apreensivo), para chegarmos ao que era um jantar formalíssimo (com toalha de renda, porcelana e cristais de família) e SÓ GENTE FAMOSA: Guilherme Karan, Caetano, Ney Matogrosso, Luís Fernando Guimarães, uma socialite chiquérrima que tinha chegado dos States e não me lembro o nome, além de Luiz Zerbini (o pintor) e a própria Regina Casé. Meus amigos foram esnobados NA HORA; entrei em pânico e comecei a beber. Caetano e Ney ADORARAM aquilo; me tranquei com eles na biblioteca para cantar músicas do Elton John, por exemplo, mas devo ter dado um vexame. Depois, o Hermano (com quem não falei mais por causa desse incidente — vieram me dizer q. essa turma às vezes "escolhe" alguém para fazer papel de bobo) tentava me consolar com comentários do tipo: "Ah, não liga, não. O Cazuza era

bem pior". Ficamos para o jantar, que, por sinal, estava delicioso, e não posso dizer que não me diverti, mas não houve interação alguma entre os "famosos" e meu namorado, minha melhor amiga e minha IRMÃ. Pensei que talvez estivesse exagerando minhas impressões do pessoal, mas todos saíram de lá reclamando e jurando nunca mais cair no conto do jantar-arapuca ou "festa--cilada", como iríamos nos referir ao evento dali por diante. Eu fiz a minha parte, bêbado como estava, me sentindo mais do que inadequado. O golpe final veio quando S. me disse: "Esses seus amigos famosos são uns chatos e esnobes". Que me lembre, não lhe dirigiram palavra a noite inteira, e eu queria que ele tivesse uma boa impressão (antes de irmos, expliquei que seria o máximo etc.). Me senti, com seu comentário, mais inadequado ainda, principalmente porque ele completou: "E você tinha que beber, não é?". ◬ Agora parece até gozado, mas na época foi horrível.
△ ☾ ♡ ∞

6. ~~INFERIORIDADE~~ DESPREZADO

No final de 1980, por ocasião dos sete dias da morte de John Lennon, estava programado um evento mundial: dez minutos de meditação e silêncio. Acho que era o dia 16 de dezembro, no Brasil o horário seria às quatro horas.

Na época ainda tocava no meu primeiro conjunto de rock, o Æ (Aborto Elétrico),[16] e tínhamos uma apresentação no Cruzeiro, cidade-satélite de Brasília, uma coisa bem amadorística mas que levávamos muito a sério. Bebi um pouco, mas, na hora da meditação, lá fui eu me deitar para olhar o céu com um garrafão de vinho, que devo ter bebido pela metade. Já bêbado, chegou a hora da nossa apresentação, e o baterista (Felipe Lemos, hoje no Capital Inicial) se irritou bastante comigo. Lembro que achei que ele estava levando tudo muito a sério, mas tivemos uma briga, ele estava insuportável, agressivo e hostil (eu estava me sentindo todo cósmico, paz e amor, principalmente porque, no momento exato do início da meditação, o céu, que estava cinzento e carregado, começou a abrir, o que achei que era alguma espécie de sinal. Em dez minutos exatos, o sol tinha voltado a brilhar). Mas ele, a meu ver, atrapalhou a apresentação, chegando a interromper canções para me tacar baquetas e gritar comigo, à vista de todos, se fazendo passar por líder do grupo. Me senti desprezado e saí do grupo naquele instante. Não me arrependi. Com o tempo veria que estava sendo assertivo com minha decisão, embora sentisse um desprezo muito grande em relação à minha pessoa, a tudo que representava e fizera pelo grupo, como se eu e meu trabalho não valêssemos a pena.

7. ~~DESPREZADO~~ INFERIORIDADE

No começo de março deste ano fui assistir a um show que esperara 21 anos para ver: Emerson, Lake & Palmer no Canecão. Fiquei tão feliz que fiz tudo eu mesmo (geralmente, a reserva e compra de ingressos, segurança, transporte até, é tudo verificado pelo nosso escritório). Adorei o show, fui com meu amigo L. e, no final, queria saber se poderia conhecer o grupo, mesmo que só para dizer alô. Um inglês chato da produção me esnobou, todo o pessoal de relações públicas lavou as mãos e a ordem era: NINGUÉM entra no camarim ou fala com eles sem explicar o porquê. Do entusiasmo passei à raiva, me sentindo ofendido por ser tratado assim (afinal eu tenho, ou pensava ter, status VIP no Canecão). Não tinha. Ao tentar furar o bloqueio dos seguranças, eles se jogaram sobre mim e, já caído no chão, fui espancado e arrastado para a área de estacionamento, onde fui agredido verbalmente também. Comecei a gritar por meus direitos e logo vieram dois policiais, p/ averiguar a situação. Os seguranças sumiram. Fiquei tão assustado c/ a atitude também estúpida dos policiais que perdi o controle e, ao ser "escoltado" para a saída (pela porta da frente, como insistira), gritei p/ todos os presentes o que sentia. Não tinha bebido muito (só duas vodcas) e tinha fumado só um baseado, mas a emoção do show e o choque de ser tratado daquele jeito me fizeram ter um comportamento arredio e agressivo, o que ñ ajudou em nada a situação. Saindo dali, fui à Le Boy, onde fui barrado por estar "alcoolizado". Essa situação nunca acontecera comigo antes, parece que aquela ñ era a minha noite. A violência no Rio está crescente, eu sei, e depois tudo foi verificado — não agi de forma extrema; aliás, se fosse outra pessoa, esta estaria provavelmente morta, dada a estupidez dos seguranças e o ressentimento e raiva que senti deles em relação à minha pessoa.

O meu complexo de inferioridade voltou e jurei nunca mais pisar no Canecão, promessa que sei que vou cumprir. A Le Boy também são águas passadas. E isso não por ressentimento, mas sim por uma questão de segurança pessoal. Não cutuque o tigre com vara curta. Mas me senti o pior dos mortais naquela noite.

8. RESSENTIMENTO

Passei o Carnaval deste ano em Búzios para descansar e tentar colocar minha vida em ordem, no Hotel Nas Rocas. Para ter companhia, convidei dois amigos, Marcos e André, para irem comigo e paguei tudo (já que eles não tinham dinheiro e eu não queria ficar sozinho). Foi maravilhoso, o hotel fica em uma ilha, conheci um novo amigo (o que já valeu a viagem) — os bangalôs eram individuais, a comida ótima e nos divertimos bastante ficando ao sol, velejando, passeando de caiaque, treinando arco e flecha e tudo. Só que, mesmo tudo estando bem, me embriaguei no primeiro dia, me senti um pouco angustiado no segundo e substituí o álcool por tranquilizantes (o que, na verdade, não ajudou em nada). O fato de ter que pagar para ter companhia gerou um ressentimento intenso no final do passeio. Eu ficava pensando: "Ninguém faz nada por mim e eu sempre acabo fazendo tudo pelos outros". Marcos e André foram ótimos e tudo, sentindo-se muito agradecidos e honrados até de passarmos juntos o Carnaval, que, como disse, foi realmente maravilhoso. Mas veio o ressentimento mesmo assim e, no final, me senti tão sozinho qto. antes.

9. SOLIDÃO

No final de fevereiro deste ano, pensando em todas essas coisas (e outras mais) e tentando afugentar a solidão com álcool, maconha, tranquilizantes e trabalho, estava me sentindo tão mal que, no dia em que o Valium acabou, fiquei sem saber o que fazer e como lidar com todos esses sentimentos negativos. Estava muito só e à beira do desespero. Liguei p/ uma amiga, N., perguntando se ela tinha Valium. Ela tinha, e fui até seu apartamento, onde finalmente me acalmei (depois de muito tempo). Estava me sentindo tão só que sei que, mesmo se tivesse Valium ou Lexotan em casa, precisava de companhia e de um conforto amigo. N. foi muito compreensiva e amorosa, o que eu precisava realmente. Conversamos bastante e finalmente tive coragem p/ voltar p/ casa, onde continuei só, mas já sob o efeito do tranquilizante. Fui dormir. A partir daí a solidão sempre estava presente e eu a afugentava com drogas e álcool, o que dava menos resultado a cada dia, até vir parar aqui, em Vila Serena. Tinha chegado ao meu fundo-do-poço e preferia morrer a enfrentar novamente a incerteza e a solidão.

refazer Ressentimento.

re-feito / satisfatório

8. RESSENTIMENTO

De acordo com o dicionário, ressentimento é "sentir de novo, magoar-se, sentir-se ofendido". Tentei encontrar uma situação específica, mas tive dificuldades, principalmente porque o meu ressentimento acerca de qualquer coisa sempre me levava à autopiedade, que então falava mais alto. Se o meu ressentimento está ligado ao meu uso de drogas e álcool, é o sentir de novo (e sempre) uma raiva pelas "injustiças" do mundo — costumava beber e ler os jornais para alimentar esse tipo de ressentimento — ou então sentir de novo raiva por mim mesmo, meus atos, emoções e pensamentos. É difícil ser específico aqui, porque vejo que esse ressentimento por mim mesmo era justamente a força motriz que usava como desculpa para me drogar e beber (quase sempre), incluindo aqui o ressentimento por sentir tantas emoções negativas ao mesmo tempo (solidão, culpa, medo, ansiedade, raiva, autopiedade, as principais): em geral transferia o que sentia devido a outra pessoa ou situação para mim mesmo, me ressentindo de minha impotência perante meu próprio mecanismo autodestrutivo. Sei que não devo filosofar, mas percebo que era isto que acontecia:

RAIVA → FRUSTRAÇÃO → CULPA → ressentimento → AUTO-PIEDADE

Me ressentia de ter raiva de mim mesmo e de sentir tanta autopiedade. Isso era quase todo dia (há alguns anos já), por isso todo o meu comportamento motivado ou que causava essa desculpa p/ continuar usando drogas e álcool era, basicamente, ressentimento.

Mas eis um exemplo específico:

No dia 16 de março de 1993, acordei me sentindo desanimado, confuso e triste. Tomei um banho, para clarear, tomei café e depois um calmante. Desci para comprar os jornais. Atravessando a rua, fui ao bar na esquina do meu apartamento e pedi três doses de licor de laranja (Cointreau, como sempre). Voltei ao apartamento para ler sobre as desgraças do mundo, alimentando assim meu ressentimento. Dependendo da notícia (e algumas até me deixavam de bom humor), sentia raiva, medo, apreensão, confusão, ficava ofendido, magoado, triste e sempre ressentido com o mundo, comigo mesmo (por fazer parte do mundo) e com meu comportamento (por saber, no fundo, que era um comportamento neurótico e autodestrutivo). Acho que me ressentia com minha própria indiferença, que buscava desesperadamente no álcool e tranquilizantes, a cada dia com resultados mais negativos. Isso aconteceu com certeza quase todo dia, desde meados de janeiro deste ano até minha chegada à Vila Serena. E, dependendo do dia, bebia mais, ou me drogava mais, ou os dois.

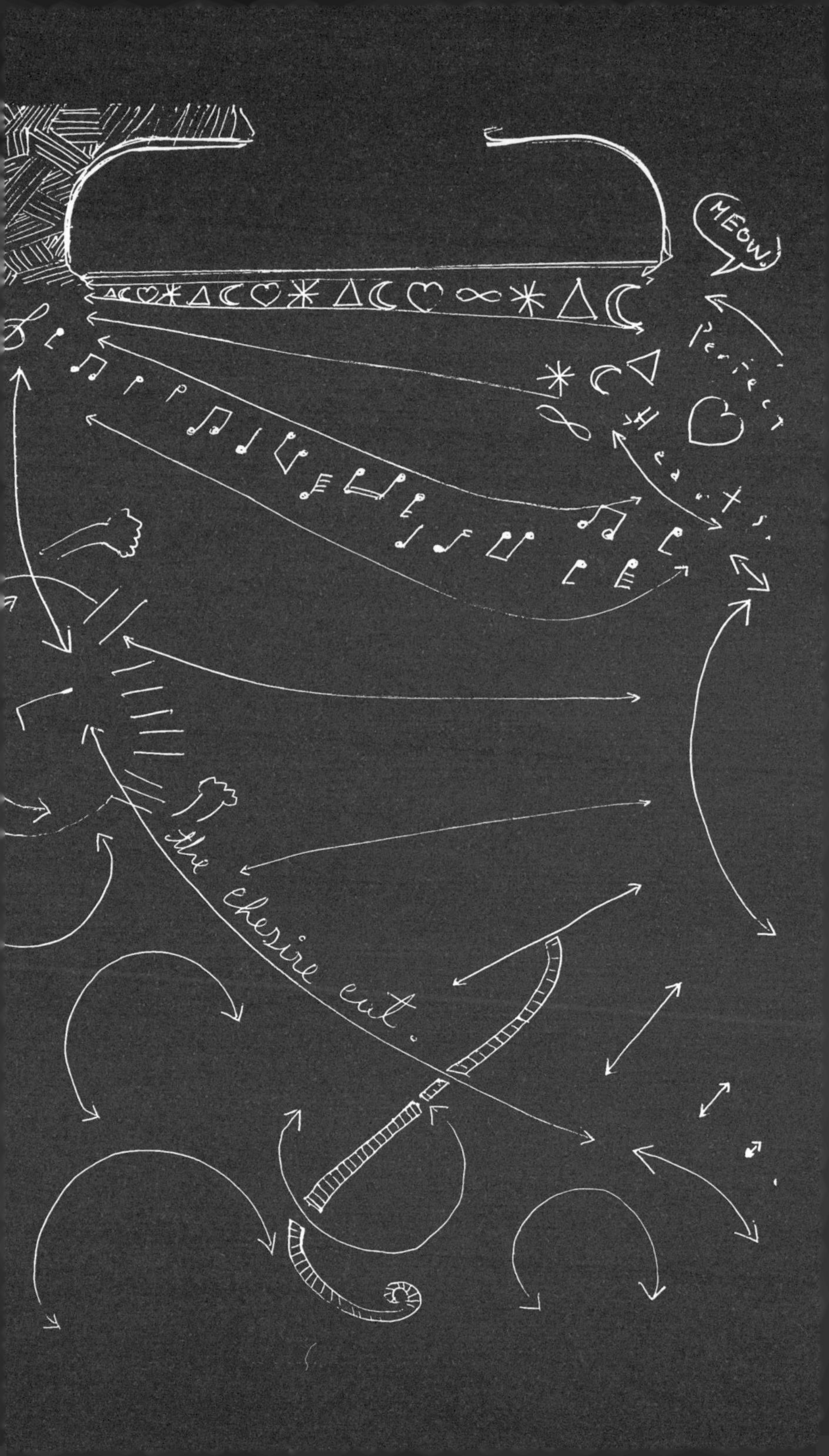
MEOW.
Perfect
Hearts
the chesire cat.

19/04/93

Acordei bem, estou tranquilo e menos ansioso. Sinto um pouco de tédio. As meninas vão passar mais tarefas p/ mim, já q. v. só volta na quinta. Das nove situações só a do ressentimento levou insatisfatório (todos concordaram que estava mais p/ autopiedade).// Percebi que nem sempre o que os colegas falam é o que pensam e sentem. Não me preocupo c/ isso. Acho curioso. Vou ter dificuldades com o segundo e o terceiro passo (eu acho), caso chegue lá (esta semana?), mas sinceramente acho q. essa questão de impotência e perda do controle e domínio sobre minha vida está bem clara para mim. Não sei. São quase quatro horas. Nada de muito significativo. Não tentei controlar nada até agora, eu acho. Estou me sentindo muito desinteressado para isso, quase em estado hipnótico. Tudo se repete. Acho bom, mas já esperava por alguns resultados. Tenho andado meio alheio a tudo. Quero colocar as coisas em prática. Imediatismo? (Sempre existe uma resposta para tudo — paciência.) △ ☾ ♡ ∞ Achei o depoimento de C. A. chato. Prestei atenção, estava calmo, sereno e assertivo, fiz perguntas, participei e achei (mesmo assim) monótono e repetitivo. Das atividades de hoje QUATRO foram dedicadas a histórias ("cheirei-tanto-que-quebrei-tudo"): o depoimento, o grupo do AA, a história do J. A. e o GT. Cada um tem seu mérito,* é claro, mas senti um desequilíbrio aí. Aquele filmezinho da Linda Blair não conta, estou sentindo falta de mais trabalhos com tarefas e informação (como o que fizemos com o vídeo *Como sabotar seu tratamento*). Hoje lemos um texto interessantíssimo e relevante (para mim, ao menos) do livro *Seus pontos fracos*, e não houve continuação ali. △ ☾ ♡ ∞

Acho as dinâmicas importantes também. E o TRE?[17] O segundo e o terceiro passo são tão importantes; que me lembre, sobre o

* E objetivo.

assunto só houve a palestra do Jh. sobre espiritualidade. Preciso de ferramentas e, sinceramente, mais informação. Continuidade aos temas das palestras — imediatismo? Nem sei, mas chega de "bebia-tanto-que-minha-filha-tinha-medo-de-mim". Ou "eu-só--queria-morrer-e-tentei-me-matar-mas-encontrei-Vila-Serena--e-minha-vontade-de-viver". IN-FOR-MA-ÇÃO! Como v. só vai voltar na quinta, vou conversar bastante com o grupo e com as conselheiras. Sinto falta dos seus retornos. △ ☾ ♡ ∞ //
Agora são 9h30 p.m. e estou me sentindo muito bem. As nuvens passaram, por-algum-motivo. Até meu banho foi um momento feliz (fiquei cantando sozinho músicas favoritas do Bob Dylan) — o grupo parece ter vida nova depois do GA (temos um novo residente), do jantar (torta de peixe com batatas!) e da reunião do AA (que foi divertida). Tudo é subjetivo — especialmente p/ mim. (Tenho Mercúrio e Vênus em conjunção em Peixes, na 12ª casa.) E começo a perceber que, se me sinto bem, tudo está bem, se estou mal, tudo fica pior. É mais uma nova descoberta (existem velhas descobertas?) que devo trabalhar. Bem, dias vêm e vão e agora vou dormir. Bons sonhos, sempre. △ ☾ ♡ ∞ Para mim o poder superior é o tempo. (Verdadeiro mistério.) Lá-lá-lá-lá-lá.
△ ☾ ♡ ∞ ⟷

20/04/93

Hoje o dia foi normal, não tenho me irritado, a única sensação negativa ainda é ansiedade — o resto é normal, mesmo com altos e baixos (que estão menos altos e menos baixos do que antes). Gostei da história de Gl. (a americana viciada em diet pills!) — me identifiquei e me senti solidário. O GT sempre mexe comigo e hoje não foi diferente. Foi satisfatório (refiz "ressentimento"), mas às vezes acho complicado entender o mecanismo da coisa (todos falaram em "consequências", mas não me foi pedido colocar as consequências dos exemplos, e sim dar exemplos de sentimentos — o que fiz. De qualquer forma, vou pedir que tudo seja explicado com mais detalhes, para que eu possa me sentir mais seguro e render mais). Por exemplo, não vou poder "fazer um relatório focalizando métodos e sentimentos que utilizei para abster-me do álcool e drogas e quais os resultados" simplesmente porque nunca parei — só qdo. tive a hepatite B e mesmo assim era um caso de vida ou morte. Das outras vezes, mesmo parando com tudo, eu sempre continuava ou com haxixe ou baseados. O que fazer? Dúvidas... Vou escrever exatamente isso. Estou aprendendo bastante, no entanto. O segundo trabalho é "fazer uma lista de pessoas das quais v. identifica que depende ou dependeu emocionalmente. Para cada uma delas, dê pelo menos uma situação específica onde v. tenha tido prejuízos com esta dependência. Diga seus sentimentos, como você lidou com isto e como pode melhorar". Sou eu! Bem, não vai ser fácil — qtas. pessoas? Acho que vou escolher cinco. (Sou/fui dependente emocional de TODOS os meus relacionamentos, eu acho, para mais ou para menos.) Amanhã é feriado, não sei se terei visitas. Vou aproveitar p/ pensar e trabalhar as tarefas, ler mais e descansar. Tenho sentido uma necessidade de descansar, dormir. O filme *A viagem de volta* foi interessante, mas não pude deixar de perceber as inconsistências do roteiro. Pretendo fazer cinema (meu objetivo nº 1, sempre) e sou muito crítico a esse respeito. Sou perfeccionista nesse sentido, sim, e acho ótimo. (Deu excelentes resultados com a Legião Urbana.) No mais, é novidade estar sereno e tranquilo, e me vejo NÃO SENTINDO RAIVA, o que é ótimo e me deixa muito satisfeito comigo mesmo. Se sinto, é rápido e momentâneo — natural. Bem, aguardando sua volta, bons sonhos, Renato. △ ☾ ♡ ∞

Só consegui começar a me acalmar quando ele chegou e me abraçou e me beijou e disse as palavras mágicas: "It's okay."

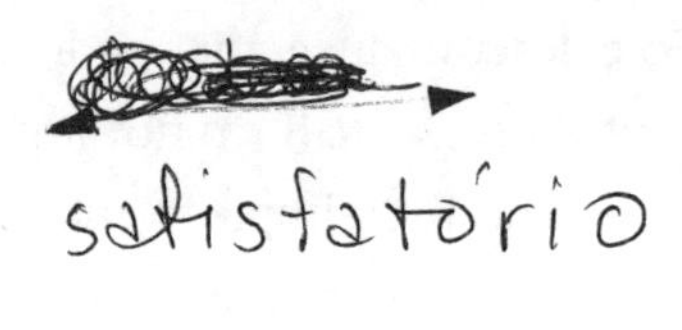

FAZER UM RELATÓRIO FOCALIZANDO MÉTODOS E SENTIMENTOS QUE VOCÊ UTILIZOU PARA ABSTER-SE DO ÁLCOOL E DROGAS E QUAIS OS RESULTADOS.

Quando vim para Vila Serena no dia 6 de abril deste ano, tinha chegado ao "fundo-do-poço". Foi a primeira vez que senti dificuldade e desconforto físico ao abster-me do álcool e das drogas. Já estava no estágio intermediário do alcoolismo e cheguei aqui com muitos sentimentos negativos: ressentimento, raiva, culpa e autopiedade. O método era claro para mim: se não procurasse ajuda especializada, sabia que não conseguiria sozinho, pois, dessa vez, depois de dois anos de abstinência aproximadamente, tinha entrado fundo na bebida e estava bebendo para morrer. Ou assim eu pensava. De qualquer forma, quase cheguei lá. Ainda estou confuso e apreensivo, com uma sensação quase permanente de ansiedade e frustração, toda vez que tento rever o meu passado. Mas, com novas informações, o apoio dos colegas e da equipe, e minha confiança no programa, tenho trabalhado, com sucesso gradativo e crescente, todos os sentimentos intensificados pela minha doença: esse progresso faz-se notar principalmente no que se refere à minha paciência, agressividade, baixa autoestima, autopiedade e culpa. Ainda vejo o mundo e a vida com apreensão e desconfiança, mas agora sei que isso também passará. Até contrair hepatite B em novembro de ~~89~~ 90, o método para parar era o mesmo: simplesmente parava. Parei meu uso de cocaína há mais de quatro anos, sem problemas — só que continuei com haxixe e baseados. O mesmo quando me abstive do álcool por um período de aproximadamente um ano e meio (em 85 e 86). Sempre romantizei o uso de álcool e drogas e, para mim, era tudo mais uma brincadeira, que sentia poder controlar, do que qualquer outra coisa. Parei com a cocaína porque me irritavam as pessoas que me cercavam na ativa, e o álcool por causa de uma reação alérgica. Depois, já com sérios problemas (no final de ~~89~~ 90), o método foi: ir para uma clínica. Fiquei com medo e raiva dessa vez, mas continuei com a cannabis (e não houve problemas). Mas isso logo também cansou e fiquei completamente abstinente por um ano, até começar a usar tranquilizantes novamente, com prescrição médica, para aliviar ansiedade e depressão. Recaí no final de 92 e então, já consciente de que tinha um problema, decidi me entregar à doença. Do fundo-do-poço (março 93) cheguei à Vila Serena. Agora estou decidido a parar com tudo, é minha única salvação, e isso ainda me deixa confuso e apreensivo, pois vou ter que reformular a minha vida. A cada dia que passa, no entanto, sinto mais força interior e espero, sinceramente, conseguir.

FAÇA UMA LISTA DE PESSOAS DAS QUAIS VOCÊ IDENTIFICA QUE DEPENDE OU DEPENDEU EMOCIONALMENTE. PARA CADA UMA DELAS, DÊ PELO MENOS UMA SITUAÇÃO ESPECÍFICA ONDE VOCÊ TENHA TIDO PREJUÍZOS COM ESTA DEPENDÊNCIA. DIGA SEUS SENTIMENTOS, COMO VOCÊ LIDOU COM ISTO E COMO PODE MELHORAR.

A) S. — Conheci S. em NYC no final de 89. Foi amor à primeira vista e recíproco também, o que me deixou "nas nuvens". Mas logo essa reciprocidade passou, ele queria ser meu "amigo", e eu estava cada vez mais apaixonado, romantizando tudo, fantasiando, e sofrendo muito com isso. Em uma apresentação em Uberaba eu estava de ressaca e projetei meu bem-estar na companhia dele, se ele não estivesse comigo não me sentia bem e bebia mais, por autopiedade.

Isso se deu em julho de 89, quando, depois de uma temporada em São Paulo, percorremos o interior de Minas Gerais. Durante o show, dediquei a música "Pais e filhos" a ele, que não gostou, porque tinha sérios problemas, então, com sua sexualidade. Após a apresentação eu fiquei cabisbaixo e pensativo, não participei da animação no camarim, não quis falar com ninguém, nem dar autógrafos ou falar com a imprensa. Isso me prejudicou profissionalmente. Não muito, mas poderia ter aproveitado a situação para sedimentar nosso sucesso, o que não fiz, dando espaço para minha reputação de difícil, mal resolvido e problemático (o que me causaria prejuízos bem maiores no futuro próximo). Fiquei muito ressentido com isso e minha autoestima foi para o espaço.

B) F. J. — Passamos a infância e momentos importantes de nossa adolescência juntos. Das pequenas brincadeiras sexuais, passei à obsessão romântica (isso durou vinte anos, e ainda está presente hoje), enquanto ele seguiu o curso da heterossexualidade socialmente aceita. Entre 86 e 87 houve manipulação de ambos os lados. Eu lhe dava dinheiro para que ele comprasse cocaína, subentendido que haveria troca de favores sexuais. Um exemplo: em maio de 87, como sempre, uma segunda-feira à noite, ele me chamou ao portão e insinuou estar disposto a passar a noite comigo, e não estaria eu com vontade de ficar "numa boa"? Ele sempre me pedia dinheiro (com a desculpa de estar sozinho em casa e precisar comprar fraldas para o filho, ou comida, remédios, qualquer coisa) e eu sempre cedia. Nessa noite não foi diferente — tive prejuízo financeiro (o que para mim não era muito, comparado à dor emocional e ao sentimento de ser desprezado por quem amava, o que me levava a fingir, a me ressentir da situação em que estava e ter raiva, culpa e autopiedade por ser assim). Ele tinha um componente homossexual muito forte, mas nunca o admitia e, depois de ficarmos juntos a noite toda, houve discussão e acusações mútuas — eu querendo resgatar um pouco da minha autoestima e ele provando a si mesmo sua "masculinidade", dizendo que, se não fosse pelo dinheiro, ele nunca faria "aquilo". Isso provou não ser verdade, já que no final desse período ele me procurava por companhia somente, por se sentir tão sozinho e incompreendido quanto eu, mas aí o mal já estava feito e eu aproveitava para tentar humilhá-lo e provar o que nós dois já sabíamos: estávamos na mesma situação. É difícil ser mais específico do que isso — o uso de drogas e álcool me embotou a memória e essas situações se repetiram dezenas de vezes, sempre iguais. Ao longo desse tempo perdi meu autorrespeito e muito dinheiro. Me sentia sozinho, culpado, triste, com pena de mim mesmo e injustiçado. A frustração era intensa também. Lidava com isso da única maneira que sabia: me isolando e exagerando no uso de álcool e drogas. Posso melhorar (se conseguir) não tentando controlar as pessoas, trabalhando minha autoestima e autovalorização, e seguindo o que aprendo com o programa. É difícil. Para mim a coisa mais difícil do mundo é desligar-me da pessoa que eu amo, quando essa pessoa não me ama do mesmo jeito. Só consigo isso anulando meus sentimentos e, no caso de S. e F. J., isso até hoje não foi possível, completamente.

c) Com exceção desses dois casos, minha dependência de pessoas sempre foi intermitente e partindo de mim, sendo que muitas vezes eu não dependia da opinião ou sentimentos de uma só pessoa específica, mas sim da opinião e sentimentos dos meus amigos, da minha família, dos meus vizinhos, do meu público até, do staff da minha companhia, da opinião pública. E, a não ser pelos dois casos das pessoas acima, o prejuízo nunca foi financeiro (eu paguei pela estadia de S. em janeiro/março de 90, por exemplo) — sempre havia mais era dor emocional, solidão, ressentimento e extrema autopiedade, além, é claro, do prejuízo a meu estado de saúde, e isso a longo prazo. Por isso é difícil ser específico. Dependendo do meu estado emocional, as palavras e atitudes de um estranho, por exemplo, eram suficientes para me levar à bebida e às drogas, à tristeza e à frustração. Essa foi sempre a maneira com a qual lidava com isso, ou então trabalhava compulsivamente, ou era compulsivo em tudo — exagerando a alegria, que virava euforia, exagerando a dor, que virava sofrimento, exagerando a solidão, que virava isolamento, exagerando o medo, que virava pânico, ou exagerando a desconfiança, que virava paranoia. A antipatia se transformava em ódio, o amor em obsessão, o sucesso em dificuldade, e por aí vai. O prejuízo? É como se tivesse jogado metade da minha vida fora e, para resolver isso, só voltando a querer viver, o que pretendo conseguir com este tratamento. Não consigo me lembrar de incidentes específicos porque bebia e me drogava para esquecer, o que consegui. Cabe dizer aqui que muitas vezes (a maioria das vezes) eu manipulava a mim mesmo e os outros para obter incentivo, aprovação e elogios, o que para mim não era então prejuízo, já que ficava aliviado e "seguro" com a aprovação de todos. O prejuízo, repito, veio a longo prazo, destruindo (quase totalmente) meu autorrespeito e minha saúde. Só posso resolver isso seguindo o programa e trabalhando desligamento emocional e minha autoestima.

Ainda vejo o mundo
e a vida com apreensão e
desconfiança mas agora sei
que isto também passará.

21/04/93

Situação que tentei controlar e não consegui: não consigo me lembrar. Estou indo com a correnteza e está sendo bom para mim. A cada dia que passa, sinto que aceito melhor o programa, tenho participado ativamente (às vezes, penso que até demais! Falo muito!) e hoje foi um dia muito produtivo. As atividades foram todas excelentes, a meu ver, e hoje o dia foi, em minha opinião, um dia de harmonia (estou ouvindo J. S. Bach, e isso ajuda!), a palestra sobre vergonha e culpa foi ótima, tivemos dinâmica e visualização, o GA é sempre agradável, e o vídeo sobre os doze passos me emocionou, achei muito bem-feito e nada cansativo (qta. diferença daquela tristeza que foi *A viagem de volta* e aquele outro com a Linda Blair). Tenho sentido uma certa dificuldade para assimilar tudo (é MUITA coisa), mas tudo bem. Primeiro as primeiras coisas. Fiquei muito satisfeito que minhas observações sobre o programa de segunda-feira foram corroboradas pela própria Sv. (!) — é bom estar certo de vez em quando. Tenho fumado demais, no entanto (situação que tentei controlar e não consegui). E o tratamento p/ tabagismo? Ontem à noite a reunião de NA foi revelatória (descobri finalmente a importância dos grupos) e entrei como membro. Hoje AMEI a visualização (como me senti bem!). Não recebi visitas (já sabia, e não fiquei frustrado) e aproveitei para descansar bem, depois do almoço. Vou esperar sua volta p/ conversarmos sobre as tarefas (que pretendo completar, mas não hoje). O L. A. (interno novo) é muito cordato e sensível (além de inteligente e culto) — me identifico com ele. Pena que as meninas vão receber alta — desequilíbrio no grupo? Adoro meninas (a sensibilidade feminina coloca um equilíbrio nas coisas, eu acho). Hoje fui assertivo c/ L. E., fiquei satisfeito comigo mesmo. (Assim que ele acorda, ele desanda a falar, sozinho às vezes, e isso me incomoda e lhe disse — sem maiores problemas.) Aproveitei a tarde também p/ dar uma olhada (séria) em alguns livros: *Astrologia: Alcoolismo e drogas*, que me interessa mas achei um tanto vago — a não ser pelas informações sobre Netuno, o signo de Peixes e a 12ª casa, oh, céus —, outro sobre tratamento de alcoólatras, que achei bom, e um ótimo, que após a leitura dinâmica decidi ler por inteiro (achei excelente): *Alcoolismo: Mitos e realidade*. Vou terminar o livro sobre máscaras (que estou — oh! — achando meio bobo) e *Seus pontos fracos*, que acho gostoso de ler (e difícil de aplicar na vida prática, mas tenho tempo). Hoje estou me sentindo tranquilo (um pouquinho apreensivo, talvez) e integrado. Gostaria de conversar sobre as tarefas e sobre minha necessidade de entrar em contato c/ meus sentimentos. Acho q. houve um mal-entendido a partir do GT sobre ressentimento — não me vejo como foi colocado na avaliação nesse aspecto (talvez um pouco). Somos todos parecidos (os DQ),[18] mas existem diferenças — gostaria de conversar sobre isso. No mais, achei todo o resto da avaliação justa e precisa. Vou ler um pouco agora, Renato. △ ☾ ♡ ∞

22/04/93

Hoje o dia foi bom, mas desfocalizei bastante (e vejo que é algo que NUNCA perceberia na ativa). Como desfocalizei? Ficando um pouco eufórico e agitado (isso foi o dia todo) — mas me sinto BEM. (Mesmo com escabiose, que DEVE ser emocional — um dia vai, outro dia volta...) O passeio até o Lagoinha Country Club (v. não adora esse nome?) valeu a pena. Eu não queria ir, mas foi muito bom, principalmente por ter levado um bom susto: como estou fora de forma! Uma corrida de quinze minutos jogando futebol e meus braços "pinicaram", fiquei muito cansado e sem ar. Suei muito também, mas logo passou, e já na hora do basquete (sim! quem diria — acho que há vinte anos não fazia exercício assim) estava bem melhor. Acho que preferia ter tido atividades (foi minha primeira saída de Vila Serena, e me senti como um menino que sai de casa sem os pais pela primeira vez) — fuga? Participei ativamente das atividades (estarei me repetindo?) e evitei me envolver demais c/ o problema de seu M. — melhor para mim, eu acho. De qualquer forma, desabafei no GA e tive o apoio dos colegas. E eles disseram "sentir firmeza" em mim, o que me aliviou. Agora estou ótimo, até um pouco elétrico. Vou ler e descansar. Achei a palestra interessante mas um pouco repetitiva, e só no último minuto é que veio o que esperava: COMO solucionar o problema da defesa da mente. Espero uma segunda parte: "As fortalezas da mente — II". E seu M. parece ter mudado de ideia. Todos ficaram felizes. Vou ouvir a fita que Gl. me deu de presente. Achei muito importante isso, uma prova de confiança (os norte-americanos são meio frios e tudo). Mesmo com altos e baixos começo a perceber que estou mais equilibrado. Me assusta um pouco perceber também uma série de coisas a meu respeito (que eu sabia mas abafava, ou então evitava completamente). Estou tranquilo — mas, sinceramente, este desafio é maior do q. eu imaginava. Parar é fácil — o difícil é continuar sem drogas, sem álcool. Mais difícil ainda (para mim) é resgatar o prazer de viver. Espero chegar lá. △ ☾ ♡ ∞ Renato. △ ☾ ♡ ∞

PS: Não tentei controlar nada, que me lembre. Nova tarefa p/ a FES esta semana? △ ☾ ♡ ∞

23/04/93

Minha cor favorita, azul-aquamarine. Bem, entre os sentimentos que eu trazia ao ingressar em Vila Serena: um ressentimento profundo em relação à minha vida (raiva, culpa e autopiedade), por me sentir incapaz de interagir com outras pessoas de maneira saudável e natural, por me sentir incompreendido e desprezado,* por saber (mesmo sem conseguir definir ou explicar) da minha extrema dependência de pessoas, por ser "doente", por ter perdido tanto tempo, não querendo, ao mesmo tempo, viver (já que achava que a vida era só dor, injustiça e solidão). É muita coisa. Tinha raiva do mundo, de tudo e de todos. Achava TODAS as pessoas estúpidas e falsas (e, quando não era esse o caso, quase me via forçando situações ou fantasiando negativamente até provar que estava com a razão) e o mundo irremediavelmente perdido. Tudo parecia justificar minha depressão e meu pessimismo. Ainda não estou livre desses sentimentos, mas já consigo um certo desligamento (qdo. assisto o *Jornal Nacional*, por exemplo, agora me vejo dando risadas — não me toca a tragédia, e sim o absurdo). O mais importante tem sido compartilhar (e descobrir outros como eu), ter resgatado minha paciência, ter controle sobre meu lado agressivo e estar resgatando minha autoestima, pouco a pouco, mas seguramente. Estou no começo, mas, por uma dádiva, as principais das minhas qualidades afloraram de imediato: sensibilidade (sem sofrimento), sinceridade (sem dependência emocional — ao menos não no grau presente quando da minha dependência), honestidade (sem culpa), interação e tolerância (sem medo). Ah — parece um sonho, mas não é; é real! Não estou eufórico, estou tranquilo e até feliz. Estou tentando trabalhar tudo isso e agora devo me concentrar no meu

* Mesmo com todo o meu sucesso e reconhecimento em nível profissional.

imediatismo e não tentar "morder mais do que posso mastigar", por assim dizer. Leva tempo, levará tempo — uma coisa de cada vez, primeiro as primeiras coisas! Me levo muito a sério ainda, me pego fazendo planos para salvar o mundo (!) a partir dessas descobertas — devo salvar a mim mesmo. Pensar duas vezes (no meu caso, três!) antes de me deixar sentir coisas negativas. O livro *Seus pontos fracos* tem sido, mesmo com seu radicalismo, um guia para mim, e a palestra de El. hoje (TRE) foi uma revelação. Tudo começa a começar a se encaixar (o espelho de Lacan). Nossa conversa de hoje foi, também, uma revelação. Quando da reunião de NA, senti uma identificação mística, antiga, presente e esquecida, ao se falar de "irmandades". Foi leve e intenso.* A Cl. é o máximo! E estou bem lírico hoje. Que bom. Começo a resgatar meus planos e a vontade de trabalhar (por mim, e não para os outros ou por obrigação). É muita coisa. Ainda me sinto inseguro ao projetar meu jeito de ser no mundo lá fora — principalmente minha sexualidade, embora sempre tenha sido firme em minhas convicções. Mas já estou filosofando um pouco. Vou tomar um banho, ler um pouco, dormir e descansar. Amanhã continuo. Renato. △ ☾ ♡ ∞

* Mais sobre isso depois. Templários, gnosticismo, Poder Superior.

Procurar acreditar na vida,
trabalhar minha espiritualidade,
respeitar o próximo, ter esperança, ver o lado bom das coisas,
compartilhar, ajudar * pedir ajuda aos outros,
acreditar em mim mesmo.

refazer (mais uma situação especif.)

19

1. Para mim, insanidade é a perda de controle sobre o pensamento, sentimentos e emoções, levando a uma falta total de harmonia entre atitudes e valores pessoais e a uma perda de contato com a realidade.

2. Sim. Ao voltar para casa na madrugada de 27 de dezembro do ano passado, estava já tão afetado pelo álcool, que estava fora de mim. Tinha estado em uma festa de amigos, em Brasília, e, quando cheguei à casa dos meus pais, fiz muito barulho (tive um apagamento, mas eles me dizem que eu já estava gritando a quarteirões de distância, com raiva e hostilidade, para todo mundo ouvir). Fui agressivo com meu pai, cambaleei e caí, houve uma briga e muita discussão, meu filho se assustou e continuei a gritar pela janela, em voz muito alta e possante: "Odeio vocês! Odeio vocês!". No dia seguinte não me lembrava completamente do meu comportamento, achei que meus pais tinham entrado em pânico e exagerado tudo, e, pior, achei que a história de minha agressividade com meu pai era mentira e parte de um complô para que eu me sentisse culpado e não bebesse mais. Não me lembro do que aconteceu porque devo ter voltado ao álcool assim que meus pais foram ao sítio de tarde com meu filho. Senti raiva, culpa e vergonha.// Em julho de 1987, estávamos em Porto Alegre para uma apresentação no Gigantinho (um estádio com capacidade para mais de 25 mil pessoas). Após o show, no quarto de um de nossos assessores, se reuniram todos que queriam beber e cheirar cocaína, já que a norma do hotel era a de que mulheres não podiam subir aos quartos de hóspedes masculinos sem que uma diária extra fosse paga, e muitos ali tinham ficado na mão. Entre os rapazes estava um modelo de nome C., o gaúcho que nos conseguiu a droga, e ele me interessou imediatamente. (O hotel não fazia restrição à visita de rapazes aos hóspedes masculinos, por algum motivo.)

Já armando o bote, bebi pouco, cheirei menos ainda e, vendo que a cocaína iria acabar, separei um ou dois gramas para mim (era muita quantidade). Quando a droga se foi, todos ficaram a ver navios e a festa logo murchou. Acompanhei C. até o elevador e lhe disse que tinha mais, em meu quarto, e não gostaria ele de conversar um pouco? Isso era por volta das 4h30 da manhã. Ficamos no meu quarto até as 9h a.m., insistindo em chegar a qualquer espécie de orgasmo, de todas as maneiras, o que foi impossível por causa do efeito cumulativo do álcool e da cocaína (e dos baseados, ao longo do caminho). Foram mais de quatro HORAS de masturbação mútua e sexo oral, sem resultados. Me senti frustrado mas feliz ao mesmo tempo, ~~foi~~ achei muito divertido na verdade. Hoje parece até hilário, mas foi insanidade mesmo. Ao voltar a Porto Alegre um ano depois, nosso encontro quase se repetiu, mas ficamos tão acanhados com a lembrança do primeiro encontro, que decidimos desistir, o que foi uma pena, porque o C. era um gato e disposto a fazer tudo. Isso é insanidade, certamente.

3. Não.

4. Racionalizar a respeito das "injustiças" do mundo, achar que Deus era uma invenção do homem (à sua própria imagem e semelhança, o que achava ridículo), confundir espiritualidade com religião, justificar os males do mundo a partir dos crimes cometidos pela Igreja, ver em Maomé um profeta-guerreiro e em Buda resignação e sofrimento, no Espiritismo uma ilusão primária, acreditar que a fé era instrumento para a repressão, escravidão e ignorância do ser humano, no Hinduísmo ver uma insalubridade doentia (templos para ratos e baratas?) — a doença me fazia sentir onipotente, autossuficiente e fechado a qualquer luz, mesmo com meu sofrimento e solidão. Achava a vida sem sentido e vazia. Não consigo especificar comportamentos ou situações, mas me sentia abandonado, vazio, com medo, raiva e desesperança, pessimista e cínico. Minha atitude era sempre a de me afogar em álcool e drogas para me entorpecer e esquecer meu horror pelo mundo.

5. Sim, ainda racionalizo demais, mas a cada dia de abstinência meu coração está se abrindo e estou começando a perceber que a razão não é tudo, e que existe uma força maior do que o ser humano tem capacidade para compreender. E já tive, neste período de abstinência, alguns momentos de harmonia comigo mesmo e com o mundo que só podem ter acontecido a partir da intervenção de um Poder Superior.

6. O Poder Superior para mim é o tempo, a vida, o amor, a amizade, o sopro de esperança presente até nos momentos mais difíceis, o mistério que me cerca, uma emoção inexplicável que faz o tempo parar, me faz me sentir muito bem e me traz um sorriso aos lábios, minha vontade de crescer e trazer luz para os meus e os outros. Na verdade, para mim, o Poder Superior não se explica por palavras. Sua existência é percebida não pelo intelecto, mas sim pelo coração. É como o vento, não se vê o vento, mas vemos as árvores em movimento, ouvimos o som e sentimos o vento no corpo. Só que o vento se explica, e o Poder Superior não. É importante para mim porque minha vida agora depende disso.

7. Procurar acreditar na vida, trabalhar minha espiritualidade, respeitar o próximo, ter esperança, ver o lado bom das coisas, compartilhar, ajudar e pedir ajuda aos outros, acreditar em mim mesmo.

8. Já no terceiro dia comecei a sentir algo diferente (era Sexta--Feira Santa). Foi a Sexta-Feira Santa mais feliz e tranquila dos últimos vinte anos, eu acho. Meu sono se regularizou, comecei a perceber vários defeitos de caráter e sentir a necessidade de trabalhá-los, e também ver que tenho muitas qualidades. Ainda não sei se utilizei a ajuda do Poder Superior conscientemente, por isso é difícil ser específico. O que parece é que o Poder Superior se manifestou sem que eu me desse conta disso; só com a sensação de plenitude e tranquilidade inexplicável é que passava a imaginar que era do Poder Superior a razão para esta harmonia (que vai e volta de repente) — e isso só depois de tentar explicar o motivo por estar me sentindo tão confiante e sem medo. Não consegui achar uma explicação lógica várias vezes, então só pode ter sido por causa de uma força maior, fora de mim, o mistério primeiro e eterno. E isso se deu a partir do meu TEMPO interior, não sei especificar momentos, datas, atitudes. É uma sensação de satisfação plena, sem ligação com coisas e ideias — estou sentindo um pouco disso agora.

9. Entendi que a única saída para o alcoólatra é o caminho espiritual. A melhor coisa que um bêbado conhecido pode fazer é se tornar um alcoólatra anônimo, e para isso o único caminho é seguir os doze passos e aceitar a espiritualidade e o Poder Superior como guia e fonte de esperança e luz — o que estou pouco a pouco e cada vez mais aprendendo. Reaprendendo, na verdade, porque a doença destruiu o meu lado espiritual que, lembrando agora, sempre esteve muito presente em minha vida, até que eu começasse a beber e usar drogas. Agora, tudo mudou (por hoje pelo menos, 24 horas!).

satisfatório
agora: 3º passo!

8-B. RELATE SITUAÇÕES DO SEU TRATAMENTO ONDE PERCEBEU-SE RECOBRANDO AS CARACTERÍSTICAS DE SANIDADE, E IDENTIFIQUE COMO UTILIZOU A AJUDA DO PODER SUPERIOR EM CADA UMA DELAS:

Não gosto de fazer exame de sangue, fico irritadiço e mal-humorado. No dia 3 de maio deste ano, veio o moço do laboratório indicado por meu clínico até Vila Serena. Estava de jejum, perdi a comunitária e, com meu mau humor habitual, lá fui eu para o encontro com os vampiros (como eu costumo me referir à equipe do Braz Maiolino)[20]. Mais tarde, soube, através do enfermeiro Cr., que o moço do laboratório tem medo de mim. Não lembro de tê-lo maltratado no passado (faço exames de quarenta em quarenta dias, por causa do meu fígado,* que, após uma hepatite B seriíssima e meu uso de álcool, tranquilizantes e má alimentação, ainda inspira cuidados — e a coleta é feita em minha casa). Mas sempre reclamo do preço, qualquer problema é motivo para reclamação e, quando fico de cara fechada, é algo realmente desagradável. Pois bem, dessa vez o mau humor veio novamente,

* E otras cositas más.

mas me vi contando até dez e me esforçando para ser gentil ou pelo menos desligar-me emocionalmente e separar o problema da pessoa (assertividade). Isso é algo novo para mim e certamente tem a ver com a recuperação de minha sanidade (não estou repetindo os mesmos erros achando que terei resultados diferentes). E, agora que já trabalhei meu segundo passo, vejo que devo isso em parte também ao Poder Superior, pois estou mais calmo e paciente, aceitando um pouco mais as coisas que não posso modificar. Nem reclamei muito do preço, que achei absurdo, mas depois, ao converter o custo em dólares, vi que foi uma bagatela. Espero que tudo tenha se resolvido, porque o motorista do laboratório é um gato e a equipe muito atenciosa e gentil. ♡ E não quero mais fazer inimigos de graça. △ ☾ ♡ ∞

Preciso ter coragem para
modificar o que posso e
partir para a <u>ação</u>!

3º passo. Satisfatório![21]

1. Para mim o terceiro passo é o mais importante de todos, depois do primeiro. Entendi que a causa principal de quase todos os meus pontos fracos é minha insistência em ver satisfeita MINHA vontade, em vez de aceitar a vida, o mundo e as pessoas como são e buscar harmonia através dessa aceitação. Minha dependência química potencializou esses defeitos de caráter e vejo agora que minha prepotência, autossuficiência e imediatismo foram justificativa para essa mesma dependência, gerando um círculo vicioso no qual me afastei cada vez mais do Poder Superior, por achar que eu teria a condição de resolver meus problemas eu mesmo. Isso naturalmente não é possível, nenhum ser humano tem controle sobre os caminhos do tempo, da vida e do mundo. A doença não me deixava ver isso, mesmo tendo experiências e provas constantes de que minha vontade não era a Verdade. A Verdade está no mistério e na vontade do Poder Superior. E, quanto mais eu conseguir trabalhar minha aceitação dessa Verdade, mais próximo estarei de perceber a beleza e plenitude da Vida e estar em harmonia comigo mesmo e o mundo (e tudo que é do mundo); o medo (que é a base de minha imaturidade emocional e do que considero o mal) será substituído por Amor, Fé & Alegria. Nenhum ser humano é perfeito, mas a descoberta desse caminho leva à possibilidade de aprimoramento do meu caráter e espírito, a partir também dos outros onze passos e da entrega e rendição à Verdade; ao Amor Infinito, Onipresente e Inexplicável: meu Poder Superior. Preciso ter coragem para modificar o que posso e partir para a ação!

2. Intolerância; prepotência; arrogância; descrença; agressividade por defesa, com base no medo e insegurança; ressentimento; prejulgamento; fantasiar negativo; culpar pessoas, fatos, situações e coisas por não ter minha vontade satisfeita e por meu sofrimento; buscar justificativas para alimentar tristeza, pessimismo, melancolia e autopiedade; impaciência; imediatismo; mania de grandeza; supervalorização de valores mundanos, do status quo, das opiniões de terceiros. Preciso trabalhar autovalorização, desligamento emocional e assertividade. Preciso erradicar todos os vestígios possíveis da minha dependência química e então o que ainda ficou de negativo em minha pessoa, aprimorando minhas qualidades com confiança e entrando em contato com meus sentimentos. Trabalhar em direção a uma harmonia cada vez mais próxima à vontade do Poder Superior. Pensar antes de falar, e agir de acordo com essa mesma harmonia. Trabalhar vergonha, culpa e preocupação. Resgatar o bom humor.

3. Evitar o primeiro gole, a primeira dose e ter fé. Aceitar meus limites e o que não posso modificar. Trabalhar paciência, intolerância, desligamento emocional, assertividade e principalmente autoestima. Seguir a programação, acreditar em mim mesmo.

4. Agindo com calma, primeiro as primeiras coisas, não me levando muito a sério, pedindo ajuda, compartilhando. Frequentando grupos de autoajuda, praticando terapia racional emotiva, vivendo o momento presente, só por hoje. Evitando ao máximo pessoas, locais, atitudes, pensamentos e sentimentos ligados à ativa, sempre que possível. E trabalhando minha autoestima a partir do meu contato — 5./ 6./ 8. — com o Poder Superior e a realização de que sou valoroso e tenho muitas qualidades espe-

ciais e importantes, não minimizando essas qualidades, me lembrando de todas as coisas ótimas que posso fazer, que faço e consigo e o que já fiz e consegui em minha vida.

5. A) Na minha época de ativa me alimentava muito mal, horários irregulares, lanches e doces em vez de comida substancial. Ao contratar uma nova secretária em outubro do ano passado, decidi trabalhar isso, coordenando meu horário de almoço e janta, preparando cardápios, determinado a acordar mais cedo e, principalmente, não beber antes de me alimentar e também não ficar "beliscando" o dia inteiro, em vez de sentar-me à mesa e ter uma refeição completa. Não deu certo. Não tinha companhia (o que me incomodava e me deixava triste e ressentido, porque me lembrava de quando S., meu último companheiro a sério, morava comigo) e em pouco tempo voltei ao velho hábito de fazer sanduíches e comer assistindo vídeos, ou ouvindo música. Isso aumentou minha autopiedade (quando pensava no assunto) e minha preocupação e medo (por saber que não estava atento à minha saúde, e já bebendo muito além da conta).

B) O mesmo aconteceu um ano antes, em 91 aproximadamente, também no segundo semestre, quando me encontrava ainda muito deprimido por meu relacionamento com S. não ter dado certo. Me isolei muito durante esse período e tinha hábitos extremamente sedentários, ficando deitado no sofá da sala de vídeo, ou sentado à minha mesa de trabalho no quarto de som a noite inteira. Dormia durante o dia, das oito da manhã até, por vezes, as dez da noite. Já com a saúde afetada (depressão, cansaço, tosse nervosa, dores nas costas e dor de cabeça e vista irritada), decidi seguir as recomendações do meu clínico desde minha volta dos Estados Unidos, em março de 1990, e mudar meu horário e caminhar na praia todo dia de manhã (ou na Lagoa). Poderia também andar de bicicleta ou praticar natação, mas, ao finalmente conseguir acordar mais cedo perto do feriado de Sete de Setembro, após dormir mais de dezesseis horas seguidas e passear um pouco na Lagoa, achei tudo tão chato que ~~decidi~~ pensei em desistir. Sair de casa de manhã para andar sozinho só aumentou minha depressão, e me sentia muito incomodado com as pessoas que me reconheciam e ficavam rindo e cochichando. Me sentia inadequado por ser visto sozinho e me achava feio e deslocado entre as pessoas que faziam suas caminhadas de manhã. Tentei até beber algumas doses para tornar esses passeios mais divertidos, mas só pensava em voltar para casa e ficar sem ver ninguém, para pensar na minha vida e me entregar a fantasias e sentimentos de orgulho, autossuficiência e autopiedade.

6. A) Sim. Quando fiquei abstinente do álcool em 1990, por causa de uma hepatite B, insistia que não haveria uso de álcool ou cocaína em minha casa e várias vezes me irritei muito com meus amigos, porque, sabendo que eu não tinha bebida e drogas, eles traziam suas garrafas de uísque, e papéis de cocaína (que cheiravam "escondidos" no banheiro). Isso estragava a minha noite, tive ~~muitas~~ algumas discussões e ficava ressentido e com raiva por não ter controle sobre a situação, em minha própria casa.

Aquelas pessoas passaram a me considerar um chato e não me visitavam mais (não com a mesma frequência), o que não me incomodou, porque estava cansado e magoado por me deixar preocupar-me tanto, transformando reuniões divertidas em sofrimento. Só que, no final de março, S., meu companheiro na época, começou a beber muito, e isso para mim foi o limite. Entre outros problemas, isso foi a gota d'água, tivemos brigas e discussões e nos separamos definitivamente pouco depois do meu aniversário, após uma discussão séria na qual ele jogou garrafas de vinho vazias prédio abaixo. Fiquei com raiva, medo, culpa, e nunca senti tanta autopiedade quanto nos três meses que se seguiram.

B) O mesmo aconteceu com meu relacionamento com Cs., nos anos de 86 a 88. Morávamos na ilha do Gov., na casa dos meus avós, e eu implicava muito com ele, por querer que ele estudasse e completasse o segundo grau, o que ele sempre adiava. No final desse período, eu já implicava com tudo; às vezes, quando ficava com raiva, até com seu jeito de falar, seu modo de se vestir e se comportar. Isso tudo não deu em nada, era só prova de minha insegurança, prepotência e dependência emocional. No inverno de 88 a situação era insuportável, só nos falávamos com sarcasmo e provocações, embora, paradoxalmente, tivéssemos um relacionamento sexual ainda mais intenso. Ele trabalhava com a equipe do Legião (um erro fenomenal, esse) e, sempre que ele ficava sem dinheiro (por gastar comprando cocaína e álcool para seus colegas de bar), eu aproveitava para tentar controlá-lo, negando empréstimos até que ele se matriculasse em um curso noturno. Tudo desculpa para meu egocentrismo e prepotência. Ele não se incomodava e ia direto para a casa de um parente meu, onde passava a tarde toda tocando guitarra e assistindo televisão, isso até que seu novo pagamento chegasse (pelo escritório de um dos meus assessores, já que ele não trabalhava p/ mim diretamente, mas sim p/ Legião Urbana Prod. Artísticas Ltda.).

Certo dia, perto do seu aniversário, em julho ou agosto de 88 (não me lembro a data, mas ele era leonino), tivemos uma discussão séria onde tentei controlá-lo de vez, dizendo que, se não mudasse seu comportamento, o desligaria da equipe (era só falar c/ meu assessor). Isso o faria depender de mim completamente e, na minha cabeça, dançar conforme a música. Naturalmente não deu certo. Foram acusações de ambos os lados e fiquei tão magoado e com tanta raiva que o chamei de "parasita" e de "inútil", colocando-o para fora de casa. Ele fez as malas e foi direto p/ a casa daquele meu parente, onde continuou exatamente como era, sem estudar, só se drogando e sonhando em ser famoso. Ele tinha completado dezenove anos (eu tinha 28) e minha opinião era a de que eu podia fazer o que bem entendesse com minha vida, já que era profissionalmente muito bem-sucedido, e com curso superior ainda por cima. Eu acreditava sinceramente saber o que era melhor p/ ele, mas, em vez de deixá-lo escolher seu caminho, tentei controlar sua vida e seu jeito de ser, o que acabou com uma grande amizade (e um amor sincero também) — fiquei tão frustrado e com raiva de mim mesmo que isso afetou meu trabalho e não consegui lançar o novo álbum no Natal daquele ano, como estava previsto, só o fazendo sete meses depois.

7. Orgulho, euforia, imediatismo, automanipulação (prepotência, racionalização, fantasia).

8. A) Quando o colega L. E. foi transferido para o quarto 3, onde estávamos eu, Sg. e J. A., fiquei um tanto apreensivo, para não dizer chateado. Era a segunda semana de abril deste ano e eu estava me adaptando à vida em Vila Serena, sem maiores dificuldades principalmente porque os colegas de quarto não eram problemáticos e até brincávamos que o nosso quarto era o mais agradável aqui (mesmo com o ronco de J. A.). Só que L. E. não estava bem de saúde e fiquei com raiva por achar que ele devia ter ficado na enfermaria por mais alguns dias. Além de roncar também, ele reclamava muito (embora se justificasse dizendo que seu ronco era "sociável") e, ao acordar de manhã, falava sozinho sem parar, pensando em voz alta, o que me tirava preciosos minutos de descanso. Me deixava afetar com isso, e ficar ressentido, pois percebia em mim minha intolerância, impaciência e imediatismo. Só que, como não havia solução, resolvi aproveitar a programação e colocá-la em prática. Deu certo. Com assertividade (lhe disse que ficava irritado) e as técnicas de terapia racional emotiva (não me deixava abalar como antes), o problema deixou de me incomodar e passamos a ter uma convivência tranquila, o que me deixa feliz comigo mesmo.

B) Meu clínico, dr. Sl., gosta muito de conversar com seus pacientes, o que faz com que a espera para a consulta às vezes leve até mais de uma hora e meia. Não gosto de esperar e, quando tenho que aguardar resultados de exames de sangue, fico ansioso, com raiva, agressivo e hostil, de cara fechada, num mau humor extremo. Até que, no começo do ano passado, decidi chegar uma hora depois da hora marcada (mesmo que ainda tivesse de esperar). Às vezes chegava exatamente na hora, sabendo que teria "motivo" para me irritar e demonstrar bastante raiva e mau humor. Isso não levava a nada, e um dia, sem dificuldade alguma, só com boa vontade, desisti de me preocupar e passei a ter mais paciência. A partir daí, por algum motivo, passei a ser atendido com mais presteza, o que me deixou satisfeito, surpreso e feliz. Isso se deu mais ou menos na altura do meu aniversário, março de 92.

9. Não. Ao entrar em contato com a programação, estou conseguindo resgatar e reconstruir o que sempre acreditei (e que tinha negado com o avançar progressivo da doença).

10. Religiosidade (religião) é a espiritualidade (fé) organizada em um sistema inflexível de regras, códigos de conduta e valores morais, pelo homem.

11. Este passo é a única saída. A partir do momento em que tenho conhecimento dessa verdade, é essencial trabalhar uma reformulação total do meu relacionamento comigo mesmo, com o mundo e com o Poder Superior. Ou isso, ou então o caminho do sofrimento, da solidão e da morte, também espiritual e moral. É preciso, agora, partir para a ação!

Evitar o primeiro gole, a
primeira dose e ter fé.
Aceitar meus limites e
o que não posso modificar.

Renato Manfredini Junior
O QUARTO PASSO.

nasc. 27 Março 1960
RIO DE JANEIRO - CURITIBA - NOVA IORQUE - RIO - BRASÍLIA - RI

sexualidade
ressentimento
necessidade de ser aceito
carência afetiva
dependência emocional
culpa
inadequação
inveja
raiva
vergonha
auto-piedade
orgulho
intolerância
maldade
estupidez
egoísmo
exibicionismo
imediatismo
materialismo
ressentimento
isolamento
rebeldia
não-conformismo
agressividade
não-assertividade
mau-humor
egocentrismo
perfeccionismo
impaciência
prepotência
melancolia
mania de grandeza
pré-julgamento
ódio
fantasiar negativo
auto-destruição

CRIATIVIDADE

"Assim como ele imagina sua alma, assim ele é."
- PROVÉRBIOS XXIII, 7.

inteligência
sensibilidade
determinação
perspicácia
amor ao trabalho
solidariedade
lealdade
generosidade
bondade
honestidade
sinceridade
amor à verdade
comunicativo
prestativo
altruísta
cortês
corajoso
responsável
capaz
digno de confiança

OSCILAR ENTRE EXTREMOS
INSEGURANÇA
FALTA DE FÉ
BARGANHA COM PODER SUPERIOR
LIGADO ÀS APARÊNCIAS
INSATISFAÇÃO
ANSIEDADE
SOBERBA
HIPER-SENSIBILIDADE

AMOR AOS QUE SOFREM, OPRIMIDOS
ABNEGAÇÃO
RESPEITO A VALORES MORAIS
PIEDADE, CARIDADE.
COMPREENSÃO

satisfatório

FALE DE SITUAÇÕES EM QUE PERCEBIA:

A) FACILIDADE DE ANALISAR MUITO AS OUTRAS PESSOAS, SAINDO DO FOCO DE VOCÊ MESMO, SUAS ATITUDES E COMPORTAMENTOS.

P. — Conheci P. no primeiro semestre de 1986, na gravadora EMI-Odeon; ela estava preparando sua tese de mestrado e queria me entrevistar. A empatia foi instantânea. Tínhamos background e atitudes muito parecidos, e logo no primeiro dia, percebendo que isso talvez levasse a um amor não correspondido, fui sincero quanto à minha identidade sexual, em vão. Ela nutriu uma paixão por mim ao longo dos anos. Nos tornamos melhores amigos e confidentes. De menina tímida e não assertiva, a vi se transformar em uma mulher dinâmica e independente, aos olhos dos outros. A meu ver, ela mascarava sua extrema dependência emocional e carência afetiva assumindo o papel de "relações-públicas" da turma. Era ela quem ligava para todos, combinava passeios e saídas, a primeira a chegar, a última a sair. Sua necessidade de companhia era tal que ela pegava as pessoas em casa e dava carona na volta. Quem organizava festas. Quem sabia da vida de todos, dava conselhos, ouvia problemas, oferecia soluções. Só que ninguém sabia da vida de P., só eu. De como ela ficava magoada porque ninguém se lembrava de lhe telefonar, de como ela confessava não confiar verdadeiramente naquelas pessoas, de como ela se ressentia de ter pais com idade para serem seus avós, ou de sua indecisão e teimosia para se lançar no campo profissional. Inteligente, amável, sensível, talentosa, nenhuma profissão, trabalho ou emprego era bom o suficiente para P. Pouco a pouco, ela foi se desgastando, presa às mesmas ideias, pessoas, coisas, lugares, tornando-se, para mim, uma paródia triste de si mesma. Quando seu pai faleceu, a situação piorou sensivelmente. Ela achava ridícula a noção de que o trabalho enobrece, vivia da pensão do pai e isso começou a me incomodar. Chegou o ponto em que o mínimo que ela se esforçava por fazer tinha resultados medíocres, o que era constrangedor para mim. Meu sentido de solidariedade se manifestava nas longas conversas a dois, madrugada adentro, quando comparávamos impressões do mundo, planos, ideias. Eu tinha a solução para todos os seus problemas e, ao enfatizar meu ponto de vista, esquecia que tinha problemas muito parecidos, às vezes maiores. Me sentia ofendido e magoado se meus conselhos não fossem seguidos à risca — já que, em minha onipotência, eu era o dono da verdade. Sempre tive, também, extrema dificuldade em aceitar seus conselhos, e vejo agora que ela estava certa — era muito esperta e perspicaz. Oferecia soluções e alternativas com desprendimento, simpatia e compreensão. Mas eu simplesmente não queria ouvir; se ouvia, ficava com raiva de mim mesmo, ou autopiedade, e adiava qualquer solução. Vejo o tempo que perdi me desfocalizando ao concentrar-me seriamente nos problemas de P. Ela me esclarecia com maturidade no que se referia aos meus conflitos em relação ao meu sucesso, minha visão extremamente negativa do mundo e das pessoas, meu isolamento e solidão, minha depressão. P. e eu já não nos falamos. Ela está passando talvez pela maior crise de sua vida até agora. Sua mãe está gravemente enferma e, mesmo com tudo que fez pelos outros, ela agora está sozinha. E, que eu saiba, nunca terminou a tese de mestrado que tanto a entusiasmara há oito anos. Não sinto culpa, ou remorso — só uma leve tristeza por tudo ter acontecido assim.

L. — Desconfio que um dos meus assessores é também dependente químico e alcoólatra. Durante a turnê do nosso quinto LP, entre agosto e outubro do ano passado, suas decisões profissionais chegaram a um nível de irresponsabilidade tal que o retorno financeiro foi quase nulo e o desgaste, a tensão insuportáveis. Os cenários não ficaram prontos, foram passagens trocadas, horários errados, equipamento roubado, segurança ineficiente. Chegamos a fazer quatro apresentações em um período de oito dias, em pontos diferentes do país, o que é um absurdo: nosso guitarrista é diabético, eu tenho problemas no fígado, e as três horas de cada apresentação me consomem física e emocionalmente, é a minha vida nas canções. O ritmo normal para a Legião é de no máximo duas apresentações por semana, sempre foi. Devido aos custos absurdos dos ensaios (L. insistiu em equipamento de primeiríssima, o que foi pago em dólar), tivemos que ir para a estrada sem que os músicos estivessem seguros. O plano de palco mudou a cada apresentação nos quatro primeiros shows, e não havia um roteiro de luz. Foi tudo improvisado de saída, o que minou qualquer possibilidade de segurança em relação ao trabalho, para mim o mais importante e necessário ao se subir num palco na frente de 10, 15 mil jovens. Perdi a voz já no quinto show, o que foi excruciante para mim. Na minha opinião a turnê foi um desastre. Já nos ensaios, eu, sobrecarregado de trabalho (organizo a concepção, escolha do repertório, arranjos, dou a palavra final quanto aos cenários, luz, movimentação no palco, coordeno toda a parte musical), preferi seguir em frente, pensando que tudo correria bem como no passado. Me perdi ao tentar controlar situações que não eram da minha alçada, quando percebi a falta de visão e o descontrole de L. E, ao tentar manejar o que não poderia modificar, me prejudiquei a tal ponto que veio a recaída. Ignorei todos os problemas pessoais que deveria ter trabalhado, me concentrando em analisar e explicar os erros de atitude dele. Em vão. Tivemos prejuízos pelo cancelamento de shows em Manaus e Belém e desembolsei US$ 30 000 para cobrir as dívidas desse assessor. Deveria ter analisado meu próprio comportamento em vez de desfocalizar-me e, com autossuficiência e imediatismo, me responsabilizar por obrigações de terceiros. Agora estou sem dinheiro, tentando reaver minha sanidade, com minha imagem e carreira prejudicadas e num terrível impasse. Não confio mais em L., mas não posso esquecer que ele nos levou ao sucesso definitivo com a turnê anterior, muito bem organizada e produtiva. Caso dispense seus serviços, não verei meus US$ 30 000 — ele só poderá reaver esse dinheiro com sua parte em futuras apresentações do Legião, já que os seus outros artistas não têm público suficiente para isso. A situação é tal que nem sei se a LEGIÃO tem ainda a força suficiente para isso. O quero fora da minha vida, não o respeito mais e sinceramente não sei o que fazer. Sinto raiva e um arrependimento terminal por ter me envolvido em uma situação assim. A frustração é imensa. Ele parece um idiota quando o assunto vem à tona, e se perde explicando sua ineficiência e justificando-se com o argumento de que fez o melhor para todos, sacrificando-se em nome da banda e lembrando sucessos de dois, três anos atrás, como se isso compensasse o caos em que nos encontramos atualmente. Tenho vontade de matar. Terei que ser assertivo, ir com calma e aceitar o que vier, mas isso para mim é muito difícil, dependente químico ou não.

N. — Minha grande amiga, nos conhecemos no Festival Internacional de Cinema, aqui no Rio, no segundo semestre de 1988, e nos apaixonamos imediatamente. Nossa dependência química e alcoolismo destruiu nosso relacionamento no começo do ano seguinte, mas depois de algum tempo voltamos a nos falar. N. procurou ajuda e é hoje membro do AA. Eu tive uma hepatite B e veio um período de abstinência por necessidade, durante o qual trocávamos impressões sobre nossas vidas amorosas. Ela com seu namorado argentino, eu com meu namorado americano. Como sempre, eu tinha as soluções exatas para seus problemas (até no caso de conflitos profissionais), e, embora ela tivesse grande insight a respeito de minha insegurança e dependência emocional, minha dependência química e alcoolismo, minha baixa autoestima, orgulho e perfeccionismo, agressividade e problemas no relacionamento familiar e com meu filho, minha atitude, ao ouvir sua ajuda carinhosa e sincera, sempre foi: se vejo o que é a solução para meus amigos, e na prática minhas teorias inevitavelmente dão certo, EU tenho a solução também para os MEUS problemas. Meu comportamento era assertivo e criativo ao tomar para mim seus problemas (e a solução) — quando o problema era meu e o conselho dela, me sentia ressentido, ignorando suas palavras, ela que me conhecia bem e queria me ajudar. Eu me deixava desfocalizar através do meu desinteresse, orgulho e autossuficiência. Eu não me via, e com isso perdi metade da minha vida, me entregando cada vez mais à minha doença, certo de que estava sempre com a razão e de que ninguém possivelmente saberia resolver o que se passava comigo. Ouvia seu progresso no AA com interesse, a incentivava e compartilhava de sua nova vida, sem querer aceitar que tinha o mesmo problema — minimizava e justificava minha doença a ponto de ter chegado ao fundo-do-poço em março deste ano.

B) EXTREMA FANTASIA (SEM LIMITES), COMO MANEIRA DE TER CONTATO COM A REALIDADE.

S. — Sempre tive muita facilidade para inventar situações completamente imaginárias ou a partir de fatos, lugares, coisas e pessoas reais. Quando essa criatividade produz algo que pode ser anotado como ideia (para uma canção, uma história, uma peça de teatro, um roteiro, um poema), acho o fantasiar positivo (mesmo quando estou evitando um conflito presente). Aprendi que esse trabalho me acalma e me alivia, facilitando meu retorno à realidade e a disposição para enfrentar meus problemas, já que fico satisfeito comigo mesmo e minha autoestima é reforçada. Mas existem as situações nas quais meu fantasiar não leva a lugar algum e só potencializa sentimentos de inadequação, melancolia e autopiedade. É o caso da situação que descreverei a seguir. Meu relacionamento com S. não terminou bem, houve incompreensão e ressentimento de ambos os lados, cada qual culpando o outro pelo fato de nosso envolvimento não ter dado certo. São muitas fantasias negativas: imagino que S. está morrendo de aids em San Francisco e foi abandonado por todos, família e amigos. Eu sou o único que ainda é seu amigo e sou eu quem o acompanha e o assiste em sua doença. Minha facilidade para imaginar é tanta, que passo e repasso diálogos, situações, sensações, sentimentos à vontade, com ou sem variações, quantas vezes eu quero, como um filme. Já que isso parte da minha imaginação somente e da minha necessidade de fuga e negação da realidade, por vezes a memória de uma fantasia negativa é mais clara e focalizada do que a lembrança de eventos reais.

Tenho muitas variações sobre o mesmo tema. Ele morre e tempos depois recebo uma herança milionária (ele percebe a tempo que fui a pessoa mais importante em sua vida). Ou então, uma fantasia recente, nos encontramos em uma reunião de NA e, limpos os dois, reatamos nosso relacionamento, dessa vez sem conflitos maiores causados por nossa dependência. E a mais perigosa de todas: ele volta ao Brasil sem que eu saiba e pede para que eu o aceite de volta. Imagino TODOS os detalhes, posso me concentrar até em sensações físicas, nos cinco sentidos (não só audição e visão). É tudo muito prejudicial e improdutivo, principalmente porque me levo a um estado de depressão, autopiedade e falta de esperança na vida — pensando obsessivamente no que poderia ter sido. Também tenho que ter cuidado, pois vejo em mim uma tendência a deixar que lembranças eufóricas transformem o passado em um sonho ideal, quando na verdade nosso relacionamento sempre foi difícil e as duas últimas semanas em que estivemos juntos, especialmente insuportáveis e dolorosas. Existem fantasias menos trágicas: como a que, depois de voltarmos a ficar juntos, já no futuro, ele é o câmera e fotógrafo dos meus filmes como diretor e roteirista. Vivemos uma vida saudável e feliz em nossa meia-idade, sem conflitos ou problemas emocionais por causa de nosso modo de vida alternativo, do qual meu filho, Giuliano, faz parte; somos então um exemplo saudável e bem-sucedido de um núcleo familiar homoerótico e, naturalmente, nossos filmes ganham os principais prêmios internacionais ao longo de nossa carreira. Algo como um Lennon/McCartney gay ou, para ter um exemplo real, a vida de Benjamin Britten e Stephen Frears[22]. Tudo fuga e ilusão, que alimenta minha tristeza.

DADO — O guitarrista da Legião Urbana é uma das pessoas mais admiráveis que já conheci. Além de grande generosidade de espírito, inteligência, coragem e sensibilidade, ele é um raro exemplo de beleza física aliada a sex appeal; belo, sensual e de personalidade marcante (raramente beleza vem acompanhada de inteligência e charme). Pois bem, não confundo trabalho com sentimentos de ordem afetiva e nunca tinha me deixado afetar com sua companhia, até que vim a saber que Fernanda, sua esposa, e empresária da Legião de 84 a 87, se ressentia comigo, por achar que eu estava interessado em seu marido. Na verdade nunca tinha pensado nisso, mas, assim que soube de seu medo, passei a perceber Dado com outros olhos e, embora nunca tenha levado meu interesse às vias de fato (só em pensamento), as fantasias começaram. Por muito tempo trabalhei meu desinteresse e preguiça a partir do fato de que Dado estaria nos ensaios, nos shows, poderia vê-lo e conversar com ele. Era um amor platônico por essência, mas em minhas fantasias, outra coisa, completamente diferente. Não vou detalhar ou especificar o conteúdo dessas fantasias, só dizer que entrava em contato com a realidade, às vezes muito difícil, a partir de fantasias onde ficávamos juntos e tudo se resolvia da melhor maneira possível. Ele era o motivo para me esforçar, levar meu trabalho em frente, ter ânimo quando estava desinteressado e força quando estava prestes a desistir. Muitas vezes resolvi problemas e encontrei soluções criativas só porque Dado ficaria feliz. Acho que ele percebe alguma coisa, mas não deixamos que isso venha a ser realidade — só quero que ele esteja feliz, porque ele merece. E aqui em Vila Serena estou aprendendo que tenho todo o direito de ser feliz também, sem me prender a fantasias e fugas que reforçam o quanto tenho me sentido insatisfeito com minha vida até agora. Dado e Fernanda são meus amigos e fico feliz com isso, e por saber que eles se amam de verdade.

VÍDEOS DA BANDA — Ninguém no conjunto gosta de gravar vídeos. O trabalho é exaustivo e nunca chegou perto do que pretendíamos. O custo é altíssimo e não conseguimos explicar aos diretores o que queremos. Somos preguiçosos também. Na época do *As quatro estações*, me vali da minha facilidade natural de criar fantasias para inventar os vídeos para as canções do disco. Isso, em 1989. Até descrevi essas imagens para a banda (Bonfá[23] faria o storyboard, trabalharíamos com Jodele Larcher, diretor renomado de clipes aqui no Brasil e tudo o mais), só que esses planos ficaram na minha cabeça, complicados demais para se tornarem realidade. Já que esse projeto não vingou, considero isso um exemplo de como uso fantasias para ter contato com a realidade e fugir dela, ao mesmo tempo. Lembro-me que meu raciocínio na época era: os vídeos já são tão lindos na imaginação, quem se importa se não forem feitos? Inventei também a seguinte sugestão para os fãs do conjunto que reclamam de não termos vídeos suficientes de nossas canções: imagine e invente seu próprio vídeo! No final, tudo isso é só desculpa para minha (e nossa) preguiça, embora deva admitir que é uma política original e interessante. Me sinto feliz e sem culpa com minha engenhosidade. ♡

MAS — Isso tudo é mínimo comparado às minhas fantasias realmente negativas, projeções futuras de angústia e dor, nas quais prevejo alternativas de suicídio, catástrofes inomináveis, morte e sofrimento de familiares e pessoas queridas, perdas no trabalho, problemas de saúde, assassinatos, sequestros e o fim do mundo, guerras, violência, desespero e outras coisas terríveis demais para se mencionar. Me levo a um estado de melancolia tal que por vezes me surpreendo com minha capacidade doentia e me sinto culpado e triste porque não evito tais pensamentos. Isso não é frequente e é, na verdade, contrabalançado por fantasias de felicidade, alegria, plenitude e também pelas fantasias criativas de verdade, das quais tiro a substância do meu trabalho e projetos futuros. Mas tudo isso, aliado a fantasias de vingança e crueldade, me deixa às vezes confuso e, até o passado recente, era justificativa para outra fuga: a do álcool e drogas. Acredito que, ao me distanciar dos efeitos destrutivos de minha dependência química e alcoolismo, conseguirei separar a criatividade proveitosa da fantasia negativa e obsessiva, limitando a tristeza à vida real pura e simples, em vez de potencializar sentimentos que me fazem sofrer sem necessidade. A DOR É INEVITÁVEL, O SOFRIMENTO É OPCIONAL. △ ☾ ♡ ∞

A DOR É INEVITÁVEL,
O SOFRIMENTO É OPCIONAL.

△ ☾ ♡ ∞

24/04/93

Um bom dia, cheio de altos e baixos, tudo resolvido. Alta de Rc., como ela estava feliz! Radiante até. Hoje foi o dia do grupo familiar. Não gostei da palestra/depoimento de Mr. (a achei neurótica e autoritária), mas resolvi isso muito bem, com paciência e assertividade. Surpresas do dia: ver como as pessoas são frágeis e belas. Estou tranquilo e feliz. Me identifico muito com o seu An. Professor de filosofia (lógica), alcoólatra, domínio da língua portuguesa, elegante ao falar, impaciente. Me vejo nele (eu daqui a alguns anos?). Me surpreendeu também sua idade. Ele é seis anos mais novo que meu pai! E se parece com os octogenários da minha família! Essa doença é realmente terrível. Conversamos bastante e ele é um senhor muito educado. Adoro. A cada dia que passa, descubro e aprendo mais e mais. Só que estou (tenho estado) com preguiça. GT! (Bem, espero já apresentar alguma tarefa na segunda — hoje quero descansar e refletir.) No mais, é só! △ ☾ ♡ ∞ Renato. △ ☾ ♡ ∞

PS: Ontem cortei o cabelo e estou me sentindo ótimo. Ci. (o cabeleireiro) era DA TRIBO (claro!) e me diverti bastante. Queer Nation Unite! ⟷

25/04/93

É de manhã, nada de especial até agora. Acordei como sempre, um leve mal-estar que passa assim que tomo banho, clareio um pouco as ideias e tomo o café da manhã.* Depois da comunitária passei a trabalhar em minhas tarefas (as duas que me foram passadas por G., na sua ausência). Quase passei direto para as outras, mas achei importante tentar, mesmo prevendo uma grande difi-

* Devo ainda estar em processo de desintoxicação.

culdade em ser específico. É quase como ser específico a respeito do meu café da manhã. Tenho que escolher um exemplo aleatório, já que sempre tomo café de manhã e não vario muito meus hábitos. Quanto mais minha dependência! Bem, trabalhei bastante e, quando estava analisando o resultado com Z. C., o Cr. começou a passar um vídeo e pedi dois minutos, para assistir o vídeo do começo. Não fui atendido, não havia programação nenhuma a esse respeito (não poderia adivinhar que às 10h45 haveria vídeo), fui pego de surpresa no meio de minhas tarefas. Resultado: estou aqui trabalhando enquanto todos estão assistindo o vídeo. Aqui vai uma reclamação: mais atenção aos HORÁRIOS, para que possamos nos programar (e nossas atividades) mais produtivamente. Agora estou com a cabeça no meu trabalho, e sem disposição para assistir um longa-metragem com uma imagem ruim (me dá dor de cabeça), ainda mais por ser mais um drama "eu-era-adolescente-e-usava-drogas-e-isso-acabou-com-minha-vida". Sinceramente, acho um saco. Posso aproveitar esta hora e quarenta minutos mais produtivamente. Vou ler, estudar e trabalhar. Por que não avisam que vai ter sessão de vídeo? Quando vamos ter mais vídeos do programa? Paciência! △ ☾ ♡ ∞

PS: Outros colegas também foram pegos de surpresa. E., seu An., Sg. e J. A.

A parte da tarde foi maravilhosa. Recebi muitas visitas (tio Adhemar, tia Cirene, Paulo Roberto, meus pais, Giuliano, Thayssa e N.), o dia estava lindo. Céu claro, aberto, sol e temperatura amena. O GA foi ótimo (como sempre), comprei mais livros (e dediquei um para N. e outro para meus pais). Seu An. ficou surpresíssimo que suas amigas me conheciam ("Aquele não é o Renato?"). Ele veio

todo feliz comentar comigo. Assistimos a um filme bobo mas divertido, com Gene Wilder e Richard Pryor, que já tinha visto mas vi de novo para relaxar. Agora metade dos colegas assiste *Fantástico* (aids equina no Pantanal...) e os outros completam, preocupados e solenes, suas tarefas. São 10h em ponto. Vou ler um pouco e dormir. Estou me sentindo bem, nem tenho muito o que escrever. Foi o melhor dia aqui, até agora. Δ ☾ ♡ ∞
Renato

PS: Preferia apresentar a tarefa do GA no GT (ficou muito extensa).

26/04/93

MANHÃ

Hoje estou novamente tranquilo e feliz. Gostei muito mesmo da palestra de Ln. sobre a Janela de Johari,[24] sinto que tenho participado bem e compartilhado com o grupo. Acho a Ln. um amor! Parece a irmã caçula de todos nós (que sabe mais). O GS foi espetacular e confirmou o que eu já havia percebido na avaliação. Tendo por base a "mancha cega" — onde membros do grupo percebem o que não percebemos —, acho que estou indo muito bem! Os retornos que recebi foram leves (estava esperando cobras e lagartos!) — nenhuma falha de caráter! Foram: viver 24 horas, intelectualizar menos, acreditar na base do programa (todos estes retornos reforçados), e trabalhar a rebeldia e ter confiança na vida (o retorno do seu An., que descobri ser um PADRE!

Oh, céus — e eu falando de s. Paulo na comunitária! Mas tudo bem, é a minha opinião e vou ficar com ela). No GS foi melhor ainda. Vejo que todos me respeitam e percebem meu progresso — não estou usando a máscara do programa, é real! Todos concordaram com o que escrevi e sinto que eles (os colegas) estão sentindo firmeza em mim. Isso me deixa muito satisfeito e feliz comigo mesmo. Minha autoestima voltou! Todos perceberam, no entanto, a minha ansiedade (o que é bom, significa que estou realmente entrando em contato com meus sentimentos, já que sou o primeiro a reconhecer essa mesma ansiedade). Todos disseram também q. o mais importante agora é colocar em prática o que escrevi. L. E. disse que devo ser mais paciente e humilde e separar os dois Renatos! Achei isso de um insight formidável — não esperava de jeito nenhum (evite prejulgar!). E o seu Je. também: "Você era infeliz e não sabia". Ad. recomendou lembrar os dias felizes em Vila Serena, e todos reforçaram q. devo acreditar em mim mesmo. Lembro-me de um depoimento do TA[25] (o livreto): "Se você se suicidasse, estaria matando a pessoa errada". Concordo plenamente. Eu não era eu. Agora estou começando a ser eu mesmo de novo. Como disse quando conversamos no pátio (adorei o seu abraço), levei um susto ontem ao ler sobre apagamentos, repressão psicológica e lembrança eufórica. Vejo agora que estava muito, muito mal — bem pior do que imaginava. Vou continuar me esforçando e trabalhando o programa — até conversar c/ seu An. sobre o Poder Superior (ainda minha área de dúvida e incerteza). Mas sinto que, pouco a pouco, estou chegando lá. Só me deixa apreensivo um pouco o fato de estar "sentindo" o meu fígado. Não dói, e espero que seja psicológico. Acho que, não tendo acontecido nada até agora, não é depois de quase três semanas de abstinência total, bom sono e boa alimentação que terei problemas. Quem sabe. Hora do almoço, segunda-feira. △ ☾ ♡ ∞ Deve ser esse cheiro de tinta.

PS: Sei não, mas acho que NÃO VOU conversar com seu An. sobre o Poder Superior! (pós-GT)

TARDE

O dia hoje foi todo bom. Me sinto inseguro ainda no GT e me pergunto se estou assimilando o programa e as tarefas com o coração ou se estarei manipulando (mesmo que inconscientemente), através do intelecto, justificativas e racionalizações. O tempo dirá, espero. Estou confuso, mas tranquilo e feliz. Acho que preciso, nas palavras de J. A., "baixar a bola", para não cair em euforia. Tenho me sentido tão bem que fico apreensivo qto. ao surgimento de novos problemas. Esta autoconfiança é real? Todos são tão carinhosos comigo — não estou acostumado com isso ainda! Gostei muito também do depoimento do Rn. — enfim, uma explanação inteligente, sensível e informativa (ele inclui uma explicação e interpretação dos doze passos no seu depoimento, a partir de sua experiência pessoal, e achei isso genial). A história do J. C. também foi interessante, embora eu tenha sentido uma certa hesitação e dor até, quando emoções passadas eram revistas e relembradas. Como usamos máscaras! Eu ainda sou muito ingênuo e não consigo perceber essas nuances ainda — embora em certas áreas eu seja mestre em interpretar e identificar atitudes (dos outros!). Tenho pensado muito sobre espiritualidade, Poder Superior, lembrando que várias pessoas já me disseram que eu tenho uma "missão", que posso ajudar muitas pessoas, e até que estou marcando passo! O que fazer? Sempre tive uma necessidade espiritual muito intensa (que, como lembrou Jh. em sua palestra, é transferida por muitos dependentes químicos para a droga e o álcool, e eu fiz o mesmo) e está chegando a hora de enfrentar mais esse desafio. Paradoxo: a fraqueza do padre An. tem sido uma inspiração para mim, por-algum-motivo. E agora, AA (oh, céus) e bons sonhos. Renato ♡

PPS: Pensando bem, por que não perguntar sobre o Poder Superior ao padre An.? (dúvida)

NOITE

Oh, céus. Eu e minha superioridade moral. Bem feito! Assim que terminei de escrever a outra FES e fui apressadamente para a reunião de AA no salão, me deu uma coisa... Voltei a sentir o fígado, entrei em mezzo pânico e parecia que estava prestes a desmaiar. Mas, corajoso que sou, fui lá dar meu depoimento e falei justamente sobre minha preocupação com meu estado físico. Eu, que queria morrer (!), agora morro de medo ao passar mal! E não entendi o que aconteceu. Pedi para Cr. (meu enfermeiro favorito) me tirar a pressão: era 14/9 (o meu normal é 12/7, 12/8. Leve pressão alta?). Resisti até o final da reunião e fui tomar banho. Fiquei cantando o tema de amor de *Romeu e Julieta*, para me acalmar (pode?). Me acalmei. Agora estou dando risadas (mas ainda sinto o fígado — psicológico?). Parecia má circulação. Em todo caso, vou deixar essas coisas do espírito em paz! E, qto. à história do J. C., o que quis dizer com o comentário sobre as máscaras era que ele me transmitia uma segurança inabalável, por isso fiquei surpreso quando, ao longo destes dias, vi seu lado frágil e ainda inseguro. Coisas da vida em Vila Serena. Talvez tenha comido rápido demais, ou foi o fígado mesmo — uma overdose de... NICOTINA? Que susto desagradável. E a reunião de AA foi maravilhosa. Desabafei mesmo (guardando meu segredo, aquele) e foi ótimo. Os colegas aproveitaram a ocasião para depoimentos similares: Ad., Ct., Z. C. e seu Je.! Ainda estou um pouco tonto (deve ser o cigarro e minha agitação, estou elétrico). Vou descansar e beber um pouco de chá antes de dormir. Vivendo e aprendendo. Realmente, eu e minha superioridade moral. Mordendo mais do que posso mastigar — preciso tomar cuidado. Baixe a bola, Renato!

Δ ☾ ♡ ∞

COMPORTAMENTOS QUE IMPEDEM QUE EU RECEBA A AJUDA DE MEU PODER SUPERIOR

(x) Minha Prepotência
(x) Minha Teimosia
( ) Achar que o Poder Superior não se preocuparia comigo
( ) Preguiça
( ) Acomodação
( ) A Raiva de tudo
( ) Não acreditar nas pessoas e nos grupos de AA
( ) Minha agressividade
( ) A recuperação não ser como eu esperava
( ) Não conseguir controlar minha família
( ) Me achar incapaz de crescer
( ) Sentir inveja de quem pode beber
( ) Não desejar abrir mão de estar com colegas e ambientes da ativa
( ) Receber um "não" ou muitos "nãos"
( ) Não valorizar a ajuda que recebi até hoje
( ) Ser desonesto ou mentiroso
( ) Fazer novamente coisas que me levem ao sentimento de culpa
( ) Substituir a bebida por outra ocupação perigosa (ou de risco) que possa me magoar
( ) Achar que só a internação valeu para eu parar de beber ou me drogar e não dar continuidade ao Pós-Tratamento
(x) Achar que foi o homem que inventou Deus..........

Obs.: Marcar os comportamentos que eu tenho a tendência de manifestar e apresentar aos colegas pedindo ajuda para lidar com eles.

Trabalhei isto no G.A. e no G.S. / passos (2º passo) O resultado está no questionário do 2º passo.

27/04/93

Hoje o dia foi bom (até agora, pós-GT). Achei interessante que o livro que terminei de ler (*I'll Quit Tomorrow*, de Vernon E. Johnson, *Guia para tratamento de alcoolismo*) tenha sido transformado em vídeo: *Amanhã eu paro*. Achei o vídeo interessante, mas no final já estava com sono. Aliás, tenho andado com muito sono. Acordei bem, sem o enjoo de sempre mas ainda um pouco sobressaltado. Sinto que deveria me exercitar (de dois dias para cá tenho me sentido "enferrujado" e com leves dores no corpo). Natação seria ideal! No mais, é ir com calma q. isso também vai passar. Terça-feira é um dia lento (por causa da caminhada e do vídeo), ainda estou pensando sobre minha próxima tarefa (dez situações de assertividade, no caso não assertividade), e provavelmente até sexta-feira já terei concluído o trabalho. Não tenho pressa. Estou um pouco aéreo hoje, por-algum-motivo. Comecei a ler outro livro hoje, mas estou percebendo uma certa compulsividade — overdose de informação! Toda vez que tenho saudade de casa, penso: O QUE estaria fazendo em casa? Hoje pelo menos estou com vontade de explorar o dolce far niente. Preguiça é bom às vezes. Não me sinto nem um pouco culpado. Ah, se eu tivesse uma rede!... O interessante é que hoje tive provas de que estou somatizando — espero: seu An., Z. C. e L. A. estavam conversando sobre bebidas favoritas, entrei na conversa desinteressadamente e lá veio o fígado. Dr. Sl. cortou o Silimalon (poderia estar tendo uma reação alérgica), e isso agora me preocupa um pouco. Também gostaria de poder me alimentar como gostaria. Acho a comida daqui um pouco pesada (carne todo dia) — acho que preferia feijão-branco, pão integral, queijos, caviar... Bem, sinto falta das minhas vitaminas (e não me lembro de ter tomado leite tipo C nos últimos vinte anos), Ovomaltine, comida japonesa, empadinhas! (Como se eu me alimentasse bem — mas estou com saudades da minha COZINHA!) Agora é a história do L. E. Dai-me forças; bem — hoje o dia está agradável. Me sinto bem, o susto de ontem colocou algumas coisas em ordem na minha cabeça e é isto: sempre em frente que atrás vem gente. △ ☾ ♡ ∞ Renato ☯

PS: Nosso GT durou quinze minutos apenas: Paraíso em Vila Serena! ⟷ //

Agora são 6h30 p.m. Estou aguardando a reunião de NA. Espero que seja interessante como de costume. Estou bem, mas apreensivo. Fiz mais uma descoberta (algo que devo trabalhar): não estou acostumado com o carinho e aceitação das pessoas! Isso tem me deixado confuso. Fiz um curso intensivo em manipulação (com meu trabalho, o marketing e a construção em cima de uma "imagem") e agora, quando percebo minha falta de autoestima (na época de minha adicção) e tento reaver esse sentimento, me sinto bloqueado. Foram tantos anos de descrença em mim mesmo como pessoa (trabalho não conta) que estou levando tempo para conseguir modificar isso. Ah, viva e deixe viver! Emiliano (um grande amigo de Brasília) me ligou e foi muito bom — aqueceu meu coração, por assim dizer. O rádio toca a abertura de *Carmen* de Bizet (o nome da minha irmã), e recebi ótimas notícias de minha tia: se tudo der certo, vou cantar com Angela Maria, na entrega do Prêmio Sharp, no Teatro Municipal, dia 19 de maio.[26] Pode? O meu sonho (um dos) é cantar no Municipal! Eu sou maravilhoso! Eu sou maravilhoso! Eu sou maravilhoso! (Cuidado com a euforia, Renato.) Bem, por enquanto é só. Desabafei no GA e foi muito bom para mim. O L. E. me confunde, entretanto. Não consigo SENTIR o que ele diz. Mas foi bom porque a partir disso fiz uma autoanálise do meu comportamento e da minha HONESTIDADE em relação ao tratamento. Não sou matraca (a Janela de Johari)! Mas vou refletir sobre tudo isso e caso esteja manipulando, mesmo inconscientemente, darei um BASTA! aos procedimentos. Estou feliz. Isso me assusta — não estou acostumado. Retorno de Z. C.: "Não tenha medo de ser feliz!". É mais difícil do que parece, mas bem-vindo o desafio! ♡ Renato.// A reunião de NA foi muito boa, é diferente do AA. No NA sinto a "irmandade", parece uma seita secreta (adoro essas coisas), e é mais underground, e parece até que a união e o carinho entre as pessoas são mais intensos, o desejo de se recuperar (24 horas) mais "desesperado". Me sinto especial no NA. No AA, só mais um alcoólatra em recuperação (o que não é pouco, convenhamos!). Deve ser porque o álcool é socialmente aceito — mas não devo romantizar. São meu bem-estar e sobrevivência que estão em jogo. E. fez uma fogueirinha no pátio com as páginas do seu inventário — estou me sentindo tão ritualístico hoje... E tranquilo e feliz! (sensações inéditas) Amanhã é mais um dia de trabalho, vou descansar. Tenho inventado muitas músicas novas, as boas vão ficar na memória e voltar num momento apropriado. Uma das metas para estas próximas semanas é trabalhar para levar Vila Serena comigo, quando estiver no "mundo-lá-fora". Sorriso nos lábios, luz no coração (tenho um sorriso bobo parecido com soluço, enquanto o caos segue em frente com toda a calma do mundo// e ela disse: "Lá em casa tem um poço, mas a água é muito limpa"). Gostei de sua palestra. Amanhã conversaremos. △ ☾ ♡ ∞ Um novo quarto para mim! 9h35 p.m. Bons sonhos, q. eu mereço, Renato. ♡

isto é de "Há tempos"

28/04/93

Refleti bastante, conversei com os colegas e decidi não ir à reunião de AA. Estou exausto, física e mentalmente. (Já tinha pleiteado mais tempo livre, hoje de manhã, na comunitária; há dois dias já tenho lhe notificado o meu cansaço e também já citei a questão dos horários.) Não sou burro de carga, sou um adicto em recuperação. Preciso de descanso e tempo para assimilar a massa de informações diárias do programa (sem falar no tempo necessário para reflexão e conclusão das tarefas). Vamos por partes: hoje foi um dia conturbado. Não aproveitei o descanso após a comunitária (a) por causa das mudanças de quarto (b) e minha necessidade de entender os pontos da avaliação semanal que me deixaram confuso, daí nossa conversa. A questão "criatividade/fuga" é importante para mim e permaneceu em aberto. Não sinto em mim ainda a capacidade para me desligar e fluir com os eventos do dia. Percebo agora que o maior problema foi o adiamento de minha alta (e não foi por causa de compromissos de trabalho, meu tratamento é mais importante). O que me deixou confuso foi o fato de sentir que estou indo bem na programação (alta 04/05) e ter a notícia de que mais dez dias foram incluídos em minha estadia aqui (alta 14/05). Isso gerou uma dúvida em relação ao meu aproveitamento, me fazendo questionar ainda mais minhas atitudes e sentimentos. A dinâmica também me distraiu, e me vi tendo que me esforçar (mais stress) para não desfocalizar e "sair dos trilhos". Achei a dinâmica mal explicada, desenvolvida às pressas, e sinceramente não pude assimilar meta ou objetivo do exercício. Ficou tudo no ar, feito às pressas realmente. É minha opinião, e trabalhei esse sentimento na reunião do AA após o almoço, na hora do jantar (com os colegas) e no GA (minha opinião foi corroborada por vários colegas também). A entrega de chave à E.

(por si só um evento importante e emocionante) não estava na programação — não houve intervalo (e hoje eu necessitava um tempo para "respirar"), vindo a história de Ad. logo em seguida. O almoço não ajudou (só o sorvete de sobremesa) — estava já em um estado tal que não tive apetite. Não tive tempo de descanso porque esperava conversar com Jh. (queria saber do seminário em Curitiba e ter retorno sobre essas dúvidas todas) e isso não foi possível (ele estava repousando). Conversei com ele, entretanto, no intervalo seguinte, após a reunião de AA (quando compartilhei e desabafei em meu depoimento, falando sobre o que estava sentindo). Perdi outro intervalo. Veio o GT, onde, mais uma vez, percebi inconsistências no método, o que me deixou apreensivo. (Até G. concordou e se explicou.) A palestra sobre rendição foi ótima (como são, em geral, todas as palestras de El.), mas, no meu esforço para não desfocalizar, a confusão continuou. (Ag., do prog. ambulatório, estava eufórica e parecia até estar "sob o efeito", o que me incomodou. Extroversão demais, necessidade de chamar atenção — o que me atrapalhou a concentração.) No GA desabafei novamente (para levemente perceber que não fui compreendido e sentir falta de equilíbrio no grupo — as meninas fazem falta). Minha psiquê é diferente da dos rapazes e isso sobressaiu (?) bastante hoje. Me senti só — cansado e deslocado. O quinto passo de Ct. também foi um momento importante, e gerou mais stress.* Ao escrever estas linhas, percebo que tomei a decisão certa. O próprio fato de ver meu nome na lista (sem aviso prévio ou uma conversa sobre meus sentimentos e preparo pessoal para sair, pela primeira vez; uma surpresa total e inesperada), aliado ao meu cansaço decorrente dos eventos do dia, gerou mais conflito. Ponderei bastante e decidi não ir. Não estou

* Positivo, mas stress de qualquer forma.

em condições de dar um depoimento, preciso parar e refletir. O meu cansaço me deixou apreensivo quanto à perspectiva de sair, para "o mundo lá fora", pela primeira vez. Hoje, não. Vou tomar um banho, tentar relaxar e dormir um bom sono, se possível, para que meu dia amanhã não seja afetado. É muito interessante o prospecto de ser possível encontrar novos sentimentos a partir de uma nova atitude mental, mas ainda não estou pronto para controlar reações FÍSICAS — não consigo controlar EXAUSTÃO. ♡ Primeiro as primeiras coisas; Renato. △ ☾ ♡ ∞

PS: Me sinto sereno (embora cansado e confuso) e assertivo a respeito desses problemas que enfrentei hoje. (Corre-corre em Vila Serena!) Adoro você (sem manipulação). Amanhã é outro dia!

PPS: Vamos encontrar um tempo para conversarmos sobre minha saída para o AA amanhã? Bom descanso e bons sonhos, que hoje eu preciso e mereço. Acho que esta é uma das experiências mais importantes da minha vida até agora. Real life! △ ☾ ♡ ∞ ⟷

PPPS: Pedi retorno para Mc. e El. E... Xô, frustração! Xô, imediatismo! Xô, autopiedade! Sempre em frente, que atrás vem gente. ♡

29/04/93

Oh, céus. Comprei *Tudo que eu devia saber aprendi no jardim de infância* para — quem?!? — S.; em Nova York, antes de visitá-lo em S. Francisco. (Eu estava lhe ensinando a ler e o incentivava com livros de poucas páginas e grande conteúdo: *Fernão Capelo Gaivota, O velho e o mar, O pequeno príncipe, Ratos e homens, Um ianque na corte do rei Artur, Junky, On The Road.*) É bom me lembrar das minhas próprias letras — tenho bloqueado isso. (Acho que este é o come-

ço de uma bela amizade — ADOLPHE MENJOU* p/ HUMPHREY BOGART, última fala de *Casablanca*, 1939.)[27] Eu também comia biscoitinhos com leite na escola (mas não era o jardim de infância, eu já era grande! Tinha sete anos!). Como essa doença é terrível realmente. Não tenho palavras para lhe dizer como fico feliz em ter seu apoio e ajuda, seu insight é formidável — não me lembro de alguém que me entendesse tão plenamente. ♡ Hoje o dia foi maravilhoso. Terminei minhas tarefas, não estou cansado, percebo que ontem talvez tenha sido o dia mais importante de minha estada em Vila Serena até agora. Tenho medo, sim, por saber que estou voltando a ser quem era — acho que sempre me anulei por não entender a maldade do mundo, o desinteresse, a repressão. Quero a simplicidade, sim, harmonia, beleza, poesia. E me fechei, me isolei, por não suportar a intensidade dos meus sentimentos e não querer ser incompreendido e ridicularizado. Não tinha a força para suportar isso. Mas transformei a dor em sofrimento, autopunição, insanidade. Vou guardar suas palavras dentro da minha Bíblia. ♡ Tenho muito que aprender e trabalhar — ainda. Não sei aonde estou indo, só sei que não estou perdido.[28]
Mil vezes obrigado. Conte comigo. Seu amigo, Renato.

⟵⟶

PS: A dinâmica foi o toque de luz que colocou tudo no lugar. Agora é comigo — sempre em frente que atrás vem gente!
PPS: Acabei dando meu exemplar de *Tudo... jardim de infância* (depois de uma de nossas brigas, S. e eu) para um rapaz tímido que me deu carona, eu bêbado ainda, esfarrapado, a quilômetros de S. Francisco, sentindo toda a raiva do mundo. Ele me deixou no Sheraton mais próximo. Não quis me aproveitar dele (ele

* Ou será Claude Rains?

insistiu em me acompanhar até meu quarto, atencioso e carente de afeto) — lhe dei o livro em vez disso. Gozado, nem me lembrava mais dessa história. Ele era tão sozinho quanto eu — o livro lhe cabia como uma luva. △ ☾ ♡ ∞ Força sempre e bons sonhos. ⟷

Acho que esta é uma das
experiências mais importantes
da minha vida
até agora. Real life!
Xô, frustração!
Xô, imediatismo!
Xô, auto-piedade!
Sempre em frente, que
atrás vem gente. ♡

Satisfatório
e fiz 11 exemplos por engano.

ELABORAR UMA LISTA COM DEZ EXEMPLOS ESPECÍFICOS DE COMPORTAMENTO ONDE VOCÊ NÃO FOI ASSERTIVO E QUAL A ALTERAÇÃO A SER FEITA PARA USAR DE ASSERTIVIDADE:

1. A gravação do quinto álbum da Legião Urbana, entre julho e novembro de 1991, foi tensa e difícil. Estávamos há dois anos sem lançar um disco (o disco anterior, *As quatro estações*, inesperadamente, foi nosso maior sucesso — 1 milhão de cópias vendidas até hoje). Em 91 a imprensa se voltara contra a "geração 80", e os discos das outras duas bandas do triunvirato do rock nacional, Paralamas e Titãs,[29] tinham sido um grande fracasso de crítica e público. Todas as expectativas se voltavam para a Legião. Eu estava preocupado também com a crise econômica, nosso relacionamento com a gravadora (péssimo nessa época) e minha aparente inabilidade em escrever novas letras. Foi o "parto" mais difícil — e o V[30] é meu disco favorito. Mas tivemos muitos problemas. Eu estava abstinente desde dezembro de 89, mas ainda com todos os aspectos negativos de personalidade de dependente químico: autoestima quase nula, ressentimento, confusão mental, insegurança. Nosso produtor, Mayrton Bahia, era agora diretor artístico de uma gravadora rival e, mesmo sendo possível seu trabalho conosco (a partir de contrato), ele não se mostrou presente como nas colaborações anteriores. Em novembro de 1991, na fase de mixagem, com o disco já gravado, percebi que não teríamos o tempo necessário para ajustar os detalhes de maneira ideal. A alternativa seria lançar o disco em março de 1992. Cedendo a pressões dos outros componentes da banda e ao entusiasmo de nosso produtor (que insistia que o disco venderia 1 milhão de cópias), concordei, contra minha vontade, em lançar o disco (na minha opinião, ainda inacabado) para o Natal. Essa falta de assertividade me trouxe muita raiva, culpa e ressentimento e, embora o disco tenha sido um sucesso considerável (250 mil cópias vendidas em duas semanas e três canções chegando ao primeiro posto nas paradas),[31] sabia que tinha colocado nossa carreira em risco, e minha decisão interferiu em nosso trabalho o ano todo que se seguiu. Fiquei com tanto remorso que me recusava a ouvir o disco depois de já lançado, por ver defeito em tudo e ver o que poderia ter sido.

2. Por falta de assertividade (depois de tentar explicar meu ponto de vista de todas as maneiras que encontrava, acabava desistindo), sempre cedi aos caprichos do baterista da banda, Marcelo Bonfá, que na época tinha um grande ressentimento em relação à minha pessoa. Tentando evitar problemas maiores, decidi, junto com o guitarrista, Dado Villa-Lobos, que usaríamos o estúdio de gravação (equipamento de última geração, capacidade p/ 42 canais, digitalizado e computadorizado) para ENSAIOS,* pagando em dólares os períodos hora/gravação, só porque o baterista não queria usar fones de ouvido. Perdemos muito tempo e dinheiro, não achei os resultados plenamente satisfatórios e, pior, foi o primeiro disco do nosso novo contrato, de acordo com o qual bancaríamos toda a produção. Naturalmente, essa situação vinha já de longa data. Por eu não ser assertivo, Bonfá se achava indispensável e sempre que possível dificultava as coisas, para se valorizar às custas do grupo. EU sempre cedia, também porque não suportava rejeição e queria ser amado. Só recebi de volta um produto que não me agradou e

* Para a gravação do quinto LP, entre julho e agosto de 91.

senti raiva, remorso, culpa e frustração, além de me sentir fraco e inadequado. Isso foi duplamente desnecessário: fomos eleitos melhor banda, melhor disco, melhor música ("O teatro dos vampiros"), melhor letrista e melhor vocalista pelos leitores da revista *Bizz* (especializada em rock), e "O teatro dos vampiros" foi eleita a segunda melhor música do ano pelos leitores do *Jornal do Brasil*, onde ganhamos também o prêmio de melhor grupo e outros que não me lembro mais. Isso, entretanto, não aumentou minha autoestima. Minimizei tudo, tolamente.

3. Na sexta-feira de Carnaval deste ano, quando viajaria para Búzios com mais dois colegas, acordei cedo, para fazer as malas, num extremo mau humor. Estava no banheiro, reclamando do mundo, e ouvi Ena, minha diarista, cantando alegre e feliz enquanto passava roupa. Aquilo me enfureceu e logo arrumei um motivo para gritar com ela: no caso, que os pratos e talheres não tinham sido devidamente limpos. Diante do meu descontrole temperamental, ela deu de ombros e não quis me enfrentar, fazendo um comentário jocoso, que considerei um desrespeito inaceitável. Fiquei uma fera, gritei muito, minha pressão subiu, devo ter batido portas com violência (um truque favorito) e, no bate-boca que se seguiu, a despedi veementemente e disse coisas terríveis, tal o meu descontrole. A cena foi presenciada por Sandra, minha secretária, que ficou estarrecida, e meus dois colegas Marcos e André, que ficaram abismados. Me tranquei no quarto, fiz as malas praguejando e tudo deu errado: o táxi atrasou muito, quando chegou era o motorista errado, todos estavam muito nervosos, apreensivos e com medo de mim. Ena pegou suas coisas e foi embora. Já exausto e me sentindo culpado, desci para beber licor de laranja (outro truque favorito) para me "acalmar".

Bebi muito e já sob o efeito do álcool tornei-me indiferente e distante. Em Búzios tive uma crise de remorso e telefonei para Sandra — como resolveríamos a situação? Me senti tão culpado que passei mal, nem os tranquilizantes ajudaram. O que faria sem Ena, que era um amor de pessoa, trabalhava muito bem e gostava tanto de mim? A história teve um final feliz e, a partir daí, passei a beber sozinho no meu quarto, sem esbravejar com ninguém, o que de certa forma piorou ainda mais as coisas.

4. Em agosto do ano passado, tinha hora marcada com meu clínico geral para receber o resultado dos exames relativos ao estado do meu fígado, que, desde a hepatite B de ano e meio atrás, ainda inspirava cuidados. Em minha prepotência recusei esperar mais do que minha pouca paciência permitia (no caso, uma hora e quinze minutos, o que é realmente muito tempo, mas essa era uma situação da qual já tinha conhecimento; cheguei no horário marcado já sabendo, mesmo que inconscientemente, que iria me irritar e demonstrar minha irritação com veemência). Escrevi um bilhete insolente, mal-educado e muito bem escrito, e fui-me embora. Dr. Sl. ficou tão magoado comigo que sugeriu ser a única solução encontrar-se outro médico para mim. Só então percebi a extensão da minha estupidez. Me senti culpado, envergonhado, com raiva de mim mesmo, o perfeito idiota. Como sempre, entretanto, a história teve um final feliz e tudo se resolveu. Mas não gosto nem de me lembrar e este exercício está sendo um tanto difícil para mim.

4.? Em janeiro deste ano, quando estávamos nos estúdios da EMI--Odeon, em Botafogo, fazendo a pré-produção do nosso novo disco,[32] ainda a ser lançado, o diálogo entre gravadora e banda era quase inexistente. Teríamos uma reunião importante entre representantes da gravadora e nossos advogados no dia seguinte (uma quinta-feira), e pus tudo a perder. Em vez de ser assertivo, esperar a reunião e o resultado, e tentar um diálogo e um compromisso viável, ordenei a nosso roadie (assistente de estúdio e palco) que comprasse uma lata de spray (ali perto existem muitas oficinas mecânicas). O documento com nosso ponto de vista já estava preparado, mas resolvi resumir esse mesmo ponto de vista com pichações "decorativas" no quarto andar, o departamento administrativo da companhia, com os tapetes persas, portas de mogno e quadros imensos, discos de ouro e platina nas paredes. Meu ato de protesto poderia ter me colocado na cadeia, por depredação de propriedade alheia, e colocado em xeque nosso futuro junto às multinacionais da indústria do disco, sem falar na própria EMI-Odeon. O alto escalão ficou horrorizado, foram faxes e mais faxes para a Inglaterra, nossa reunião foi adiada, mas finalmente decidiu-se que isso era rebeldia rock 'n' roll — pagaríamos pelo prejuízo e ponto final. Me senti envergonhado e derrotado, com raiva de mim mesmo e sentindo autopiedade por ter deixado a situação chegar a esse ponto. Poderia ter sido assertivo, enfrentando a fera de frente, com lucidez e desligamento emocional, mas preferi agir como um moleque, agressivamente e sem chegar a um compromisso viável. Isso só aconteceu mais tarde, mas aí já estava chegando ao meu fundo-de-poço, isolado de todos e, novamente, pondo tudo a perder.

5. Pouco depois do Ano-Novo, em 92, fui com meus amigos a uma festa na casa de um músico por quem nutro uma paixão secreta. Toda a turma estava lá e todos se excederam na bebida e nos baseados, como sempre. Deveria ter ficado em casa, já que estava abstinente nessa época e sabia como eram as festas da turma na casa dele. Não fui assertivo e me deixei convencer por todos e lá fui eu. Foi uma experiência excruciante, me senti totalmente deslocado e inadequado, as brincadeiras de todos, completamente bêbados, me incomodavam bastante e eu só pensava em ir para casa. Acabei ficando até as 5h30 da manhã, contando os minutos, porque não tive coragem de ir sozinho para casa. Não consegui dizer não. Não quis resolver a situação (chovia muito e o serviço de radiotáxi estava complicado), e me senti frustrado, ansioso e com raiva de mim mesmo por depender tanto da aprovação de pessoas que, no fundo, eu não respeitava. E não adiantou nada, porque estavam todos tão ridiculamente embriagados que nem me deram atenção. Mas eu queria me sentir aceito e fiquei muito ressentido comigo mesmo, com a situação e as pessoas envolvidas.

6. Na turnê do nosso segundo disco[33] (o qual inclui "Eduardo e Mônica", "Índios" e "Tempo perdido", entre outros sucessos) faríamos apresentações em Curitiba, onde moram quase todos os meus familiares. Isso se deu em 1986, outubro ou novembro. A esposa de nosso guitarrista era nossa empresária na época, o que gerava atritos e ressentimento, já que eu me sentia menosprezado, e tratado como um empregado qualquer, logo eu, o líder da banda. Havia muito terrorismo emocional nessa época, de todas as partes: eu tinha voltado a usar cocaína e meu comportamento era hostil, arrogante, eufórico e imprevisível. Já tinha especificado que esperava ficar em Curitiba no mínimo dois dias, para visitar a cidade (que adoro) e minha família. Ficamos em Curitiba menos de 24 horas; depois do show fomos direto ao aeroporto, para São Paulo. Não fui nem um pouco assertivo: briguei com todos, minha raiva se estendeu até a membros da equipe que não tinham nada a ver com o problema; além de agressivo fui arrogante e excessivo no meu uso de drogas e álcool, deixando todos também com raiva e muito preocupados. Como ainda não tínhamos dinheiro na época, não pude ficar em Curitiba por conta própria, e além do mais teríamos uma apresentação de última hora em um clube new wave em São Paulo. Me tornei intratável, rancoroso, e me isolei de todos. Senti muita raiva e frustração, e o grupo quase acabou nesse período. Se tivesse sido assertivo ao explicar minha vontade de ficar na cidade por mais tempo, talvez tudo isso não tivesse acontecido. Devo ter sido prepotente e arrogante, porque Fernanda me disse, anos mais tarde, que quis com sua atitude me dar uma lição. Somos grandes amigos agora, mas na época aproveitei a situação para usar de minha agressividade, externando minha autopiedade e raiva por me sentir desprezado.

7. Sempre compro discos e CDs na Modern Sound,[34] uma loja de discos importados em Copacabana. Naquele dia, no final de 90, não foi diferente. Havia um novo vendedor (que conhecia de seu trabalho como discotecário nos clubes da cidade) com quem simpatizava. Sempre conversávamos sobre música, discos raros, a indústria musical e tudo o mais. Me senti manipulado e infeliz naquele dia porque, para provar que eu era um bom cliente, comprei vários discos que não me interessavam (e que detestei) só para não passar pelo embaraço de dizer não ao meu então amigo. Fiquei tão decepcionado e infeliz que nem voltei à loja para

trocar os discos por outros. Acabei dando todos de presente para pessoas a quem não daria presentes, no Natal. Pelo menos dessa vez eu aprendi, e nunca mais essa situação se repetiu, não com discos.

8. O síndico do meu prédio é um intrometido e chato (na minha opinião) e cheio de não me toques. Qualquer assunto referente à sua cobertura é motivo para infindáveis problemas. Ele parece sentir prazer em dificultar a vida dos outros, principalmente a minha: e parece ter uma inveja crônica em relação à minha pessoa, meu sucesso profissional e meu modo de vida. Pois bem, comprei uma televisão JVC, importada, 35 polegadas, um sistema completo de vídeo e laser, e qual não foi a minha surpresa quando, desde o começo do ANO PASSADO, passei a ter dificuldades em instalar uma antena externa. O motivo? O síndico não quer fios e instalações no seu telhado ("Nas minhas telhas de amianto, nem morta!", ele me diz) e só permite a instalação em cima da caixa-d'água. Isso é um grave problema para todos os técnicos contratados para o serviço, e sempre é necessário ajustar a antena por causa da precariedade do lugar onde está instalada. Depois de tentar ser paciente e assertivo ao longo desse tempo, perdi o controle e, no começo de março, bêbado, lhe disse tudo que estava entalado na ~~minha~~ garganta. Não me lembro de nada disso, porque tive um apagamento, mas minha secretária me garante que ele exige que lhe peça desculpas, senão fico sem antena, sem imagem e sem poder assistir televisão (não aproveitando meu investimento de mais de 10 mil dólares). Tenho uma raiva assassina por causa disso e, até aprender sobre assertividade aqui em Vila Serena, me via planejando meios criativos para me "vingar".

9. Me enamorei por um rapaz chamado Júnior quando nos conhecemos numa festa gay, na Barra, em homenagem a Victor Fasano. Ele trabalhava na Mr. Wonderful em Ipanema, por onde eu passava sempre que saía para reuniões no escritório dos meus advogados, ou para ir ao meu videoclube, ou para visitar as livrarias e lojas de discos de Ipanema. Várias vezes comprei camisas na loja, uma desculpa para conseguir seu telefone e sairmos juntos um dia. Eu realmente gostava das roupas da Mr. Wonderful, sem problemas. Até que um dia ele me disse ter roupas de Bali, que vendia a domicílio para ganhar um dinheiro extra. Agarrei a oportunidade, marcamos dia e horário, e lá foi ele até meu apartamento. Eu só queria ser aceito (quem sabe teria sorte dessa vez?) e comprei várias coisas que não tinham utilidade para mim. Isso se deu em novembro do ano passado. Acabei distribuindo as compras no Natal, ele deixou de trabalhar na Mr. Wonderful, e, mesmo trocando telefones e tudo, ele nunca me ligou e nunca mais o vi. Me senti triste e sozinho, com muita pena de mim mesmo por ser tão infeliz no amor.

10. Vários conhecidos famosos formaram um "grupo de estudos" para debater Nietzsche e *A origem da tragédia.* Isso foi no começo do ano passado, era a moda do fim de verão entre globais e gente da indústria musical. Adorei a ideia, pois, como para todos ali, era difícil estudar em uma escola normal com pessoas normais. Questão de anonimato e até esnobismo. Não fui nem um pouco assertivo durante os dois meses nos quais o grupo tentou sobreviver. No início o entusiasmo era geral, mas logo começaram as faltas às reuniões, as desculpas, os atrasos, os desinteresses e as panelinhas. Detesto panelinhas. Achava M., a cantora, insuportavelmente chata, com cara e atitudes de quem tinha comido um limão azedo. Nunca lhe disse isso, era passivo e "bonzinho" ao extremo, tudo para me sentir aceito entre "iguais". Fazia perguntas, participava "alegremente", mas já na terceira reunião não estava mais interessado (era fácil fingir, porque sei manipular situações muito bem, como todo dependente químico, e utilizava minha inteligência como arma, para me defender e espantar o tédio). Na verdade, aquelas pessoas me enfastiavam com sua arrogância, preconceitos e seus ares de "superioridade moral" (com exceção de dois ou três amigos verdadeiros, sim, pois nem tudo é tragédia, ninguém ali estava realmente interessado em aprender alguma coisa). A sensação que dava era a de que se reuniam para se autoelogiarem ("M., você está um DO-CE com esse seu conjuntinho. ON-DE você conseguiu? Eu PRE-CI-SO ter um I-GUAL-ZINHO") e falarem mal de tudo e de todos. Cansei, mas não consegui ser assertivo e reorganizar o grupo só com as pessoas q. estavam realmente interessadas. O grupo se desintegrou, quem estava realmente disposto e interessado em estudar ficou a ver navios, e garanto que M. e seus asseclas acham que sou um bobo fácil de ser manipulado, ou então que realmente A-DO-RO o modo de vida falso e pernicioso que é tão comum entre gente "importante". Me sinto envergonhado e arrependido por ter sido tão passivo, anulando minhas qualidades e, novamente, precisando ser aceito por pessoas que, na verdade, não respeito. É assim a doença — e só posso resolver isso usando técnicas de assertividade (disco rachado, asserção negativa, autorrevelação e tudo o mais); trabalhando minha autoestima, me valorizando; sendo fiel a mim mesmo, custe o que custar; praticando desligamento, e trabalhando minha dependência e carência emocional. (Eu mereço.) ♡

Ressentimento
p'rá quê?
É lua cheia!

30/04/93

Hoje foi um dia e tanto. Não estou cansado (tive oportunidade de descansar, o dia foi leve e tranquilo — mesmo com alguns problemas), e percebi que grande parte do meu cansaço físico se deve à tensão e a sentimentos conflitantes (não só noites maldormidas). O que está escrito no livro *Viver sóbrio* é mais do que certo: não posso me cansar (me esforçar demais) ou ficar com muita fome! O que nunca tinha percebido é que, agora, esforço mental e situações de stress se manifestam rapidamente no meu aspecto físico (antes me anestesiava prontamente com o que quer que estivesse à minha frente). Gostei muito da história do seu An. e também da sua honestidade no GFR (que não gostei tanto; a noção de SA[35] me soa um tanto ridícula, uma paródia dos doze passos — mas não devo ser intolerante, os brancos que se entendam). Tenho progredido gradualmente. Ad. é um homofóbico extremo (não gosta de dar as mãos durante as orações (!) e "respira" sarcasmo e ironia o dia inteiro. O alvo? A TRIBO!), mas — sempre em frente que atrás vem gente. EU SEI o que está por trás de homofobia crônica (trá-lá-lá). Estou me sentindo tão bem... As dez situações de não assertividade me valeram um satisfatório direto. (Em dez minutos fiz um rascunho com mais de VINTE, para poder escolher à vontade — ô autoestima. É meu principal problema agora.) Me senti ridículo lendo a tarefa (até dei risadas) — como essa doença é absurda também! O que não fiz para me sentir aceito! Aproveitei o tempo livre para planejar minha próxima tarefa, que devo apresentar (espero) até terça-feira. Bem, o cansaço bateu agora. Hoje, depois do vídeo, tive uma recaída — me vi querendo Valium! Acho q. são os tranquilizantes o perigo maior (dentre todos os perigos — a diferença é mínima na verdade). Desabafei no GA e no NA e foi bom. Problemas: estou quase sem dinheiro — NÃO SE DESESPERE! (eu). Um dos meus assessores me deve US$ 30 000 e logo me vi ressentido, rancoroso, querendo VINGANÇA (ou, de preferência, meu dinheiro já!). Mas — (acorde celestial) —, ao telefonar, consegui ser assertivo, e como! Sem ironia, sem autodefesa! (Confesso que fiquei um pouco nervoso, mas tudo bem.) Não há espaço para contar tudo aqui (e nem sobre a ineficácia de Sandra, minha secretária — outro problema). Posso conversar sobre tudo c/ você depois, se for relevante. Oh, céus — começo a ver que talvez tenha que reformular aspectos da minha vida que nem percebia serem áreas problemáticas (e como). Bem, vou descansar. Na minha confusão, fantasiei negativamente (tudo me afetou diretamente — não consegui me desligar). É bom saber disso. (É quase como esquizofrenia, achar q. tudo é um sinal — negativo — para mim. E isso não é verdade.) Resumo do dia: até o vídeo, tranquilidade. Após o vídeo: problemas, insegurança e confusão. Agora: cansaço e serenidade. Alívio. Estou até um pouco tonto. Um pouco de medo, será que vou conseguir? Aceitação, amor, fé. Δ Renato. Não sei se fui muito claro, espero que sim.

PS: A outra FES é para você guardar — a achei nas minhas coisas. Acho que era a q. faltava.

01/05/93

O dia hoje foi muito bom mesmo, para mim. Só que agora estou me sentindo um pouco assim, com saudade não sei de quê. Pena que perdi o depoimento de G. (todos adoraram), mas terei outra oportunidade. Hoje estou com saudade dos meus pais, do Giuliano, da minha família. Somos todos tão frágeis (e belos). Amanhã eles vêm (virão) me visitar. Estou tranquilo, foi bom ter conversado com drs. Ms. e Sl. — adorei a dinâmica (rubi mágico), foi um dia leve e feliz (e o tempo estava glorioso). Seu An. me deu um susto, mas agora ele parece estar bem. Conversamos durante o jantar e ele tem vídeos do Pasolini, Visconti, Derek Jarman! (Pode?) ♡ Os colegas com quem mais me identifico são seu An., L. A. e J. A. Gosto de todos na verdade, sem exceção. C'est la vie! Sandra me trouxe incenso e vitamina C, minha correspondência... Meu novo quarto é melhor do que o primeiro. Estou me acostumando à vida aqui. Vou sentir saudades. Mc. estava tão feliz, que bom. (Ele tem um perfil de Botticelli, você já reparou?) Gosto muito do seu M. também e do seu A. (que ADORA uma baixaria, e tem uma risada tão honesta, é até folclórica). Não tenho muito mais o que dizer. Não estou com vontade de trabalhar, mas também não estou com sono ainda. São 7h30 p.m. Hoje é o tipo de dia em que gostaria de ter alguém, para ficar junto assistindo televisão. Eu chego lá. ♡ Renato. ⟷

02/05/93

Hoje senti que o dia foi difícil, estive chateado e triste, mesmo lidando com isso muito bem (sem sofrimento). Adoro meus pais, minha tia e Giuliano, e senti uma leve tristeza, por projetar perdas futuras, e refletir sobre a maldade do mundo e a fragilidade do ser humano. Bem, nem tudo é tragédia — foi ótimo que eles tenham me visitado (tristeza e saudade antecipada?). Acho que vou direto para Brasília (talvez) quando terminar o tratamento aqui. Quem sabe. Agora estou bem melhor, desabafei no GA e no AA. Vimos *The Lost Weekend* e lhe conto detalhes interessantes sobre a produção do filme, se v. quiser. Acho que vai lhe interessar. Fui eleito vice (o J. A. é o coordenador). Me senti deslocado entre meus colegas héteros insatisfeitos e problemáticos, mas isso já passou. Terminei o trabalho para o GT (onze páginas). Prolixo perde. A tarefa mexeu MUITO comigo e pela primeira vez reescrevi páginas e páginas por não estar satisfeito com o resultado. Todos gostam dos meus incensos indianos. Que bom. Percebo as máscaras que os outros usam (não percebo mais as minhas — me acho sincero e honesto). Quem sabe! Hoje tive vontade de ir para casa, mas já passou. Amanhã é um dia cheio de atividades, que bom. Os vampiros vêm me ver amanhã também (exame de sangue). Life goes on. ↔♡↔ Fico satisfeito que estou aprendendo a lidar com dificuldades. Bons sonhos. Renato △☾♡∞𝄞 ☯

AVALIAÇÃO SEMANAL

NOME: RENATO MANFREDINI JUNIOR

1. METAS DA SEMANA ANTERIOR (DE 26/04/93 A 03/05/93)

A) Alcançadas: manter o que já alcancei
controlar imediatismo
aprender a identificar meus sentimentos
~~ter fé~~
ter calma
humildade
viver 24 horas
acreditar na base do programa

B) Não alcançadas: simplificar
praticar desligamento emocional
não racionalizar demais
buscar o Poder Superior
intelectualizar menos
trabalhar rebeldia
ter fé

2. METAS QUE PRETENDE ALCANÇAR NA SEMANA DE 03/05/93 A 10/05/93

As que não alcancei, assertividade, autoestima, carência afetiva e dependência emocional, manter o que já consegui, trabalhar descrença e melancolia, fantasia. (Não desfocalizar.)

3. RETORNOS DO GRUPO PARA A SEMANA DE 03/05/93 A 10/05/93

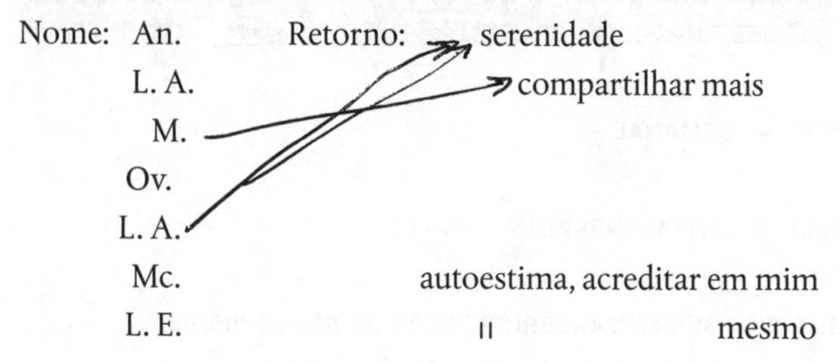

03/05/93

Pela primeira vez não consigo colocar em ordem os eventos significativos do dia. Foi um dia e tanto! O exame (coleta) de sangue correu sem maiores problemas (perdi a comunitária, mas vou ler a meditação agora à noite). Estou muito feliz por ser o vice-coordenador. O carinho e respeito dos colegas e da equipe são uma bênção. (Ai, explode, coração! Se você visse o motorista do laboratório... Ele foi usar o banheiro e quase tive um troço! Saí perguntando na administração quem era o rapaz do bigodinho, olhos azuis, tímido, uniforme — na esperança de ser um novo residente! Fantasias, mas meu ânimo voltou na hora. Já estava deixando a ansiedade e o mau humor dominarem e tudo passou!) Gostei muito da dinâmica, da palestra da Ln. (sobre recaída) e também do Grupo Sentimento sobre o segundo passo (que espero entregar até quinta-feira). A chegada dos novos internos também trouxe um certo frisson (nas palavras do L. A.) à rotina do dia. En. é um rapaz confuso (MUITO confuso) etc. etc. etc. Satisfatório no GT! J. A. também me surpreendeu — após um começo inseguro como coordenador (na avaliação semanal) e o retorno dos colegas (e meu também), ele assumiu a responsabilidade do cargo com firmeza surpreendente. Mc. ingressou no AA (surpresa) e me escolheu como padrinho (para entregar a ficha). Temos uma grande responsabilidade agora, eu e J. A.: guiar o grupo (que está mais heterogêneo) com segurança, democracia e assertividade. Tive muitas oportunidades hoje de treinar minha assertividade e estou aprendendo. A chegada dos novos internos reforçou o quanto já aprendi aqui em Vila Serena. Me vi satisfeito e surpreso ao colocar em prática essas ferramentas — e ter dado certo! O GT foi bom, foi a tarefa que mais mexeu comigo até agora.

Aproveitei a avaliação semanal para assertivamente sugerir a Ad. menos ironia e sarcasmo no trato com os colegas (o seu Je. é sempre alvo fácil) e DEU CERTO! Ad. tem um grande coração (é bom vê-lo compartilhando isso, mesmo que pouco a pouco) e L. E. está voltando a ser L. E.! É tão bom perceber essas mudanças nas pessoas, sem fantasiar e sem estar sob o "efeito". O bom é que SEI (sinto) que estou feliz e não eufórico. Vou descansar agora, um bom banho, chá de camomila. Xô, desejo imperioso!
♡ Renato.

04/05/93

Hoje apresentei meu segundo passo, só preciso refazer um item. Foi um dia bom, gostei das atividades, senti não ter participado do "grupão", mas aproveitei para trabalhar. Acordei mal, só a partir da caminhada voltei a me sentir bem; o que me aliviou, já que agora sei que esse mal-estar matutino é sequela da doença e não ALGO MAIS SÉRIO. Terça-feira é sempre um dia um pouco mais difícil (tem sido até agora) — sinto falta de atividades. Estou bem, me sinto mais assertivo a cada dia que passa, mas hoje, neste momento, estou me sentindo um tanto apreensivo, uma sensação de perda, novamente a impressão de que meu esforço é em vão (o que imagino que tenha sentido o irmão do filho pródigo, quando este voltou para casa). Não sei. Acho que estou com medo de enfrentar minha nova vida — e não tenho escolha. Me vi hoje não querendo voltar à minha vida antiga — não sinto falta das pessoas com quem convivia, não percebo em mim a necessidade de me expressar — meus novos amigos aqui em Vila Serena são minha vida agora. Nunca me interessei muito por outras pessoas (mesmo antes de minha dependência) — isso é um desabafo. Quero colo! Acabou de tocar no rádio "Just the Way You Are" e agora entrou "Be My Baby". Poder Superior! Acho que vou conseguir. △ ☾ ♡ ∞ Renato. ♡

(Xô, autopiedade)

PS: Vamos conversar sobre meu segundo passo? △ ☾ ♡ ∞ ⟷

Desabafei no NA e agora estou bem, que bom. Conversei com sr. Lc. e com En. (que acho uma pessoa muito especial). Ele me confessou (segredo) ser homossexual, pode? Baixinho, preocupado com sua revelação, medo, insegurança. Seu maior tesouro! Fiquei tão feliz, você imagina. Aceitar isso é quase como o primeiro e o quinto passo em um só. Que bom ter a confiança de um rapaz como ele, ele vai ser um rapaz muito forte, se ele se permitir. Mas fujamos da armadilha do "se". Lhe disse que o ideal seria conversar com você. Até o invejo, J. E., que felicidade poder ajudar um irmão! (Eu preferi não interferir, vistos meus próprios conflitos ainda!) En. tem um grande coração, me vejo nele, e sua mudança de atitude me surpreendeu — espero não ter sido fogo de palha. Tempo ao tempo, primeiro as primeiras coisas. Poder Superior. Vou assimilando com o tempo, ainda racionalizo demais. △ ☾ ♡ ∞

"Vida é o que acontece com você quando você está ocupado fazendo planos." — John Lennon.

Bons sonhos! △ ☾ ♡ ∞ ⟷

05/05/93

(cont.) Um dia cheio de problemas. Vou apresentar os problemas práticos na comunitária (livro preto). O que me interessa agora é trabalhar meu nervosismo e ressentimento. Haja assertividade. Tentarei ser o mais claro possível. O GA foi caótico. J. A., que é o coordenador, não me avisou que não estaria presente (estava conversando com El.) e fui pego de surpresa. Tivemos duas tarefas a serem trabalhadas, o que, depois de um dia complicado, estendeu o horário do GA até 6h20 p.m. — horário da janta. Houve reclamações e desânimo de muitos colegas: Sn., Je., En., Lc., Ad. — * o clima foi ruim, derrota geral. En. aproveitou para encenar seu drama e a tensão não foi aliviada pelos colegas — a meu ver, todos se portaram imaturamente.** Eu também. Tentei ser assertivo e levantei a voz (não de maneira agressiva, mas sim deixando transparecer meu nervosismo). Mas me expliquei, pedi ajuda aos colegas e estava uma pilha no final. Ao jantar, revi alguns dos retornos dos colegas e subitamente En. encenou seu gran finale. Um desmaio dramático no refeitório, com direito a cadeiras caídas e pose teatral, gemidos, frisson entre os colegas. Com MUITA calma fui providenciar um copo de água com açúcar, enquanto Cr. (o enfermeiro) se dirigia ao refeitório com o andar e o porte de um superior que se vê "superior" (lento, cabeça erguida, olhar displicente) mas que passa aos outros arrogância e desprezo até, além de falta de solidariedade. E se tivesse sido sério? Você devia ter visto a "pose". Fazer gênero em uma situação de emergência não é de bom-tom — na minha opinião; por mais que essa tenha sido uma atitude profissional (terapêutica). Fui assertivo ao lhe

* Não sobre a janta, mas sim sobre as dificuldades do dia (insatisfatórios, quero voltar pra casa etc.).

** "Somos ratos ou homens?", perguntei ao grupo!

dizer que achei sua atitude fria e rígida (ser um pouco humano é vergonha?). Não havia açúcar, tive que abrir o açucareiro e raspar o fundo com uma colher. Bem — o caos era generalizado, principalmente pelo estado atônito dos colegas (parecia *Um estranho no ninho*). Todos se dirigem a mim com suas dúvidas, queixas e pedidos de orientação. J. A. nunca está presente, ao que parece. A dúvida principal era: como haveria tempo para jantar, um banho, troca de roupa, se a saída para o AA era às 7h? (Faltavam poucos minutos a essa altura dos acontecimentos.) Fui atender o telefone (o telefone SEMPRE toca no meio de confusão, ao-que-parece) e disse à N. que me ligasse mais tarde, por favor. Vi seu An. (o coordenador do grupo de AA de hoje à noite) conversando com Cr. (sua pose real — de realeza — é permanente, ao-que-parece) e com MUITA calma o interpelei sobre a dúvida em questão. V. foi chamado, a saída colocada para 7h20 e tudo foi resolvido. Voltava para o meu jantar (esquecido a essas alturas) e J. A. veio me repreender, dizendo com-muita-calma — mas manipulando ao extremo, na minha opinião — que eu deveria não me envolver e que, a partir dali, ele se prontificaria a tomar para si a responsabilidade do cargo,* deixando mais do que claro que tinha se ressentido com minha intervenção. Disse-lhe que, em vista de sua omissão,** achei apropriado tentar resolver a questão (1. os colegas vieram a mim; 2. fui o coordenador do GA e assumi a responsabilidade pelo atraso do jantar e consequências) eu mesmo. Ele passou a tentar me fazer perder a calma, repetindo ad nauseam: "Você está descontrolado, você está nervoso, calma" — claramente me provocando. Devo dizer que acho Cr. omisso também *** (ati-

* Tá boa, santa!

** Ou ausência, depende do ponto de vista.

*** Ou ausente, depende do ponto de vista.

tude lavo-minhas-mãos, vocês-que-se-virem), o que ficou patente com a lista da saída para o AA e o fato de L. A. ter tomado banho e se aprontado às pressas para o NA (Neuróticos Anônimos) para me dizer que Cr. veio dar uma contraordem (L. A. não sairia p/ o NA). É Cr. que faz essas listas. Bem, ISSO NÃO É MEU DEPARTAMENTO. Vou preparar minha lista de assuntos práticos p/ o livro preto e descansar. Agora estou me sentindo ótimo. Como bons manipuladores (e dependentes químicos da gema), eu e J. A. já fizemos as pazes. Eu adoro o J. A. Como já lhe disse em outra FES, é grande nossa responsabilidade e está TUDO BEM! Hoje os ânimos estavam realmente exaltados. Haja paciência para ser assertivo com En. (e Sn. caiu na real hoje). Fora pequenos problemas pessoais (os "normais" não se entendem!) com secretária, família, o de sempre. ♡ Deu uma ventania agora, foi tarefa voando para tudo que é lado! Estou feliz — e bem-humorado! Isto é sanidade, ver o humor nas coisas — só rindo. Não é possível me levar a sério. (Ventania em Vila Serena! G.: Je., fez a tarefa? Je. (franzindo a testa): Bem... eu... G. (carinhosa e repreensiva): Je.!... Je.: Voou. G.: Voou? Saiu voando, Je.? Só faltava essa! Je. (franzindo ainda mais a testa): É, sim, voou na ventania, foi parar no telhado! Ventania em Vila Serena? EXPLOSÃO em Vila Serena! (gritinho do En.) e... falta de luz! Agora estão todos animados, eu e seu Je. estamos completando as tarefas na sala de visitas, os outros conversam alegremente no pátio. Cs. (o enfermeiro da noite) está passado. En. esqueceu seu eterno sofrer e está amabilíssimo, contando seus casos. É o Poder Superior, sem dúvida. Ressentimento pra quê? É lua cheia! △ ☾ ♡ ∞ Renato.

06/05/93

Pontos altos do dia:
Sv. (Dor e Luto)
GFR com dr. W. (MAIS GFR com dr. W.!)
dinâmica e visualização com El. (e mais trinta)
visita de trinta profissionais curiosos
Morte e Renascimento
visita de E. para pós-tratamento
minha saída para o NA
rever minha vizinhança (e locais de ativa)
irritação e impaciência com alguns colegas
saudade do Mc.
tranquilidade, assertividade

07/05/93

alta do Je.
convulsão epiléptica do En. durante caminhada
impasse no GS com J. A.
decido não ser mais vice-coordenador
tristeza, mágoa, ressentimento
retornos de Sv., Ln., G., El. e colegas
compromisso com J. A. (amigos novamente)
explico minha decisão no GA
reunião de NA
solidariedade de An., A. e En.
dinâmica (assertividade), contentamento, serenidade

08/05/93

Sábado familiar! Reunião do grupo
dinâmica (fotolinguagem)/Poder Superior no GA

ter completado oito itens do terceiro passo
E... a partir disso, decidir reescrever FES's
Percebo agora que TUDO é significativo, e que os altos e baixos são por demais frequentes — mais constante ainda tem sido a solução desses mesmos problemas. Não sinto a compulsão para detalhar eventos, sentimentos, emoções. Aceitação. Entrega. Terceiro Passo! Beijos, △ ☾ ♡ ∞ Renato.

09/05/93

Dormi um pouco após a comunitária e acordei um tanto ansioso. O vídeo do James Taylor foi interessante. Dormi depois do almoço e acordei também ansioso (lição: não dormir durante o dia!). Meu organismo ainda está se adaptando mesmo. Comprei tortas e refrigerantes para o Dia das Mães e foi bom (se bem que um tanto anticlimático, mas todos gostaram). Meus pais, Giuliano, Thayssa e tia Socorrinho vieram me visitar, mas ficaram pouco tempo. Ponto alto do dia: conversar com meu pai sobre seu trabalho junto aos vicentinos. Saudade. Desabafei no GA e no AA e foi (sempre) ótimo. Estou virando junkie de grupos! Que bom (tinha uma certa aversão, agora não acho nada impossível o programa de noventa dias). Vídeo: *Quick Change*, com Bill Murray e Geena Davis, vi de novo e foi gostoso. Terminei o terceiro passo. Exausto. Feliz.

10/05/93

Dia complicado. Não vai ter GT? Como? — Ainda bem, Ln. mudou de ideia. (Imediatismo mesmo, mas, se não apresentasse o terceiro passo, ia-ter-um-troço!) Dor de barriga, mãos frias, ansiedade, e tivemos "visitas" e repeteco das palestras do Jh. (as MESMAS piadas, mas gostei). Je. recaiu e por um momento levei um susto: você?// Terceiro passo ⟵⟶ SATISFATÓRIO!

Estou trabalhando minha euforia (CALMA, Renato). Ed. voltou, ele é sincero e simpático (e careca). Acho que os rapazes se identificaram muito com ele. En. está desfocalizando muito, o que é, bem — deixa pra lá. Fiquei cantando baixinho temas favoritos da *Noviça rebelde*. Pode? •◊• Vamos conversar amanhã? △ ☾ ♡ ∞

"E O AMOR ILUMINA NOVAMENTE/ A CIDADE E A COVA DO LEÃO/ A GRANDE RAIVA DO MUNDO/ AS VIAGENS DOS MENINOS-HOMENS" — W. H. Auden, "Carta de Ano-Novo" (1940). ♡ em inglês é perfeito.

11/05/93

O vídeo *O valor da vida*, que conta a história de Bill W., nossa conversa, a palestra sobre sexo e dependência química (mesmo repetida). A chegada dos novos internos. Desligamento do Sg. Saída para o grupo Rio de Janeiro (AA) — não gostei. As salas são pequenas e MUITO barulhentas e achei o nível baixo (prepotência? orgulho?). Em todo o caso, às vezes eu não ENTENDIA o que estavam dizendo (e não me identifiquei com ninguém, parecia NA, pouca ou nenhuma assertividade — parecia gente ressentida e hostil). Mas valeu por ter conhecido. Falei bem (e todos me acharam "inteligente", o que me incomodou um pouco). ♡

De noite ficamos conversando no pátio, foi divertido. A história do En. foi um fiasco só — que sorte a minha (Poder Superior, na verdade) ter um grupo forte e unido durante minha estada aqui. (J., Rc., Ct., Mc. — tenho saudade.) O grupo como está parece ser composto de colegas que não querem se ajudar, e isso me incomoda e é algo que devo trabalhar urgente, porque me vejo voltando à intolerância, onipotência, orgulho e impaciência. Haja paciência, na verdade. O nível está muito baixo. E a comida de uma semana para cá está abaixo do nível. Tentei completar meu dia com frutas e pães etc. (não tive como enfrentar o almoço, ou a janta). Três milhões e meio por dia para comer carne de terceira TODO DIA? Hora de ir! Tenho problema com falta de educação (por mais "simpáti-co" que seja o colega).

12/05/93

Hoje havia um aviso no banheiro de que faltaria água: alguém decidiu economizar? Claro que não. É cada um por si (o verniz é conversa de malandro e as repetições ad infinitum da programação, sem que eu perceba inteligência ou honestidade). Dá vontade de bater, mas com paciência — bem, hoje estou irritado (me deixando irritar) porque acho que estou gripado. Bom dia! ♡ Gostei muito do seu retorno. Vamos conversar mais? Bom tempo, só por hoje, seu amigo

Renato

13/05/93

Ontem faltou água o dia inteiro, não me preocupei. O que me incomodou um pouco foi ter acordado com uma sensação de que uma-gripe-já-está-chegando (e com força total), mas tomei vitamina C e, ao amanhecer, já estava bem melhor. O grupo está desunido, En. impossível, Lc. reclamando de tudo etc. Etc. mesmo. Decidi descansar bastante e trabalhar meu quarto passo de madrugada, o que foi bom. Hoje acordei melhor, embora ainda não cem por cento. Mc. chegou — quarto passo! Explode, coração! △ ☾ ♡ ∞ ⟵⟶

PS: Consegui alcançar TODAS as minhas metas p/ a semana! Beijos, ♡ Renato.

Estou feliz — e bem-humorado!
Isto é sanidade, ver o
humor nas coisas — só rindo.
Não é possível me levar a sério.
(Ventania em Vila Serena!)

EXERCÍCIO DE TRE

A) SITUAÇÃO, OU FATO OCORRIDO: Fiz um empréstimo muito alto a um dos meus assessores para que ele cobrisse custos da última turnê, que deu prejuízo por sua irresponsabilidade e não sei se ele conseguirá me pagar.

B) PENSAMENTO: Vou concordar com o empréstimo porque me sinto responsável em ser solidário, embora o ache um idiota inapto (nesta situação) e exista manipulação, mas ele está acuado, é meu amigo e faria o mesmo por mim.

C) SENTIMENTOS: Raiva, culpa, ressentimento, empatia, responsabilidade, solidariedade.

D) AÇÕES OU REAÇÕES: Busquei outras soluções, conversar, chegar a um acordo, tentar ganhar tempo — surpresa, choque, embaraço, pena, superioridade, indiferença.

E) QUESTIONAMENTO: É uma questão ética a devolução do dinheiro, uma obrigação moral.

F) MÉTODOS/METAS: Ter assertividade, esperar — não mais ter um relacionamento de trabalho sem uma resposta e um acordo viável.

FAZER UM RESUMO IDENTIFICANDO OS CONFLITOS QUE VIVIA NA ATIVA E QUE NO DESENROLAR DO TRATAMENTO FOI ABORDANDO, FACILITANDO O SURGIR DE SUAS QUALIDADES, E COMO SE SENTE NESTA ALTURA DO TRATAMENTO, QUAIS OS ASPECTOS POSITIVOS E NEGATIVOS QUE ESTÁ DESCOBRINDO DURANTE SUA ESTADA COMO RESIDENTE.

O maior conflito que vivia na ativa era o de só me sentir bem comigo mesmo quando alcoolizado ou drogado, e, por fim, nem isso mais estava conseguindo. Tudo para mim era dor, solidão e injustiça. Achava o mundo cruel e sem sentido, e as pessoas estúpidas, ignorantes, falsas e más. A autopiedade e a culpa se revezavam com agressividade, intolerância e hostilidade. Parecia fazer tudo por obrigação: me alimentar, dormir (quando não dormia para esquecer, fugir ou por cansaço), me relacionar com as pessoas, trabalhar. Ser feliz era uma obrigação, tentar manter o bom humor, a esperança e a vontade de viver, idem. A droga e o álcool me traziam momentos de euforia e então fazia planos, conversava alegremente com amigos, percebia o meu potencial, aproveitava o resultado do meu trabalho, apreciava ter casa própria com todos os requintes desejados, uma ótima biblioteca, uma sala de som completamente equipada, a geladeira abarrotada de produtos importados, uma sala de vídeo com laser e tudo. Tudo em vão. Não conseguia me sentir plenamente feliz, e isso tudo era fuga. Passei a desconfiar dos meus amigos, e tudo que percebia como falso (ou contra minha vontade ou jeito de ver as coisas) era justificativa para que me isolasse cada vez mais, só procurando as pessoas que realmente me entendiam. Eu era várias pessoas em uma só (usava muitas máscaras) e só com dois amigos continuei a ser quem eu era. O resto não me interessava. Me sentia desprezado e incompreendido. Tinha raiva, culpa, autopiedade e quase nenhuma autoestima verdadeira. Agora, na segunda para a terceira semana de tratamento, está tudo mudado. Tenho me alimentado regularmente, estou dormindo bem, estou me sentindo tranquilo e feliz. Os primeiros dias foram difíceis. Me via cético, ressentido e alheio ao programa. Isso logo mudou. Pouco a pouco estou entrando em contato com meus sentimentos, descobrindo o valor das pequenas coisas, ficando surpreso por conseguir dominar minha impaciência, irritabilidade, raiva e intolerância. Minha autoestima está voltando, assim como meu interesse e carinho por outras pessoas. Entre os aspectos negativos está o meu não conformismo (que é mais forte do que pensava) e a minha necessidade de me sentir especial e diferente (o que devo trabalhar). O mais difícil para mim é praticar o desligamento emocional (me identifico demais às vezes com outras pessoas) e entrar em contato com o Poder Superior. Isso é muito difícil para mim, já que até agora o pessimismo e a desesperança têm sido traços básicos da minha personalidade. Também me irrita ainda tudo que percebo como sendo autoritarismo e/ou arbitrariedade. Ainda não tenho paciência nesse campo. Me isolei nos meus estudos por muito tempo, o que aguçou meu espírito crítico. Sou ainda perfeccionista e exigente (principalmente no campo estético), mas tudo bem. Quem conhece Pasolini e Ernst Lubitsch não vai gostar muito do *Domingão do Faustão*, por exemplo (acho o programa vulgar, manipulador e "fascistoide", apelando para instintos baixos e preconceitos — mas agora é até divertido para mim, de tão idiota). Antes fazia questão de me isolar em sofisticação e estéticas "superiores e alternativas". Agora me vejo aproveitando as coisas simples da vida. Mas não pretendo exagerar, já que prezo muito minha inteligência, sensibilidade e cultura. Primeiro eu, mesmo que eu pareça estar sendo esnobe.

Não é nada disso. Qualquer pessoa que comprou um bom sistema 3×1 sabe que é difícil voltar à vitrolinha portátil do passado. O que devo trabalhar é meu incessante fantasiar (preciso definir limites p/ minha imaginação) e minha dependência de pessoas. Desligamento e assertividade, sempre! No mais, espero progredir como ser humano, a cada 24 horas, sempre ciente da minha doença. Isso vai ficar cada vez menos difícil, porque, a partir do programa, minhas principais qualidades estão ressurgindo naturalmente: honestidade, sinceridade, inteligência, sensibilidade, senso prático, coragem, independência e pioneirismo — além, é claro, da minha criatividade. Sempre me achei o máximo, mas agora tenho uma boa razão para isso! Estou voltando a ser eu mesmo! △ ☾ ♡ ∞

PS: Devo trabalhar uma tendência que tenho para o orgulho, arrogância e prepotência, definindo limites naturais. E creio que, ao aprender a gostar de mim mesmo, poderei gostar de outras pessoas e não terei os problemas que tive nos meus relacionamentos do passado, ou com minha sexualidade. Terei problemas, é certo, mas nada como na época da minha dependência. Serão os problemas normais, comuns a qualquer pessoa, e não a tragédia grega em Cinemascope que era a minha vida até chegar a Vila Serena. △ ☾ ♡ ∞ Se conseguir trabalhar meu imediatismo (a vontade de ser sempre o primeiro e ter meus desejos satisfeitos na hora), minha tendência para racionalizar e seguir a Oração da Serenidade e os doze passos, eu chego lá. ♡

PLANO INDIVIDUAL DE PÓS TRATAMENTO

NOME RENATO MANFREDINI JUNIOR Nº

1- ESTAS ÁREAS NECESSITARÃO DE MINHA ATENÇÃO NO PÓS-TRATAMENTO:

(×) DEP. QUÍMICA (×) FAMÍLIA/MARITAL (×) FINANCEIRA

(×) SAÚDE FÍSICA ( ) LEGAL (×) RECREAÇÃO/LASER

(×) PSIC/ESPIRITUAL (×) EMPREGO/VOCACIONAL (×) AMOR

(×) SOCIAL (×) EDUCACIONAL

2- MINHAS METAS SÃO Manutenção da abstinência, viver 24 horas, ter paciência, trabalhar assertividade, desligamento emocional, T.R.E., auto-estima, intolerância, viver e deixar viver (família & trabalho), trabalhar qualidade de relacionamentos, harmonia com Poder Supe

3- MÉTODOS:

A- ATIVIDADES PESSOAIS FREQÜÊNCIA DE GRUPOS, APADRINHAMENTO, ALIMENTAÇÃO, EXERCÍCIO, EVITAR 1ª DOSE, LOCAIS, HÁBITOS, PESSOAS DA ATIVA, VISITAR E COMPARTILHAR COM FAMÍLIA & AMIGOS VERDADEIROS, TENTAR NÃO ME ISOLAR, PEDIR AJUDA

B- RECOMENDAÇÕES DE MEUS COMPANHEIROS:

C- RECOMENDAÇÕES DE VILA SERENA: FREQ. GRUPOS POR 90 DIAS, TODO DIA, TER UM GRUPO DE CORAÇÃO, PEDIR E ACEITAR AJUDA, NÃO ME COLOCAR EM RISCO, CUIDADO C/ AUTO-SUFICIÊNCIA, RACIONALIZAÇÃO, FANTASIA, NÃO ME LEVAR MUITO A SÉRIO, VIVER UM DIA DE CADA VEZ, NÃO CRIAR EXPECTATIVAS, VIVER E DEIXAR VIVER.

- CRITÉRIOS PARA BUSCA DE ASSISTÊNCIA:

- QUANDO ? Quando me sentir só, sentindo recaída emocional, pensando nos químicos

-ONDE/QUEM ? PADRINHO, GRUPOS, VILA SERENA

- PLANO DE EMERGÊNCIA: (EM CASO DE DIFICULDADES, O QUE DEVE SER FEITO COM VOCÊ E QUEM DEVE FAZER ?)

DIFICULDADES:

- DEVE SER FEITO COMIGO:

POR:

NOTAS DESTA EDIÇÃO

1. O Programa dos Doze Passos foi criado por Bill W. e Dr. Bob S., fundadores dos Alcoólicos Anônimos. Consiste numa série de etapas que guiam o processo de recuperação do dependente. Os passos são os seguintes: **1.** Admitimos que éramos impotentes perante o álcool — que tínhamos perdido o domínio sobre nossas vidas. **2.** Viemos a acreditar que um Poder Superior a nós mesmos poderia devolver-nos à sanidade. **3.** Decidimos entregar nossa vontade e nossa vida aos cuidados de Deus, na forma em que O concebíamos. **4.** Fizemos minucioso e destemido inventário moral de nós mesmos. **5.** Admitimos perante Deus, perante nós mesmos e perante outro ser humano a natureza exata de nossas falhas. **6.** Prontificamo-nos inteiramente a deixar que Deus removesse todos esses defeitos de caráter. **7.** Humildemente rogamos a Ele que nos livrasse de nossas imperfeições. **8.** Fizemos uma relação de todas as pessoas que tínhamos prejudicado e nos dispusemos a reparar os danos a elas causados. **9.** Fizemos reparações diretas dos danos causados a tais pessoas, sempre que possível, salvo quando fazê-lo significasse prejudicá-las ou a outrem. **10.** Continuamos fazendo o inventário pessoal e, quando estávamos errados, nós o admitíamos prontamente. **11.** Procuramos, através da prece e da meditação, melhorar nosso contato consciente com Deus, na forma em que O concebíamos, rogando apenas o conhecimento de Sua vontade em relação a nós, e forças para realizar essa vontade. **12.** Tendo experimentado um despertar espiritual, graças a esses Passos, procuramos transmitir essa mensagem aos alcoólicos e praticar esses princípios em todas as nossas atividades.

2. Num dos capítulos de Narcóticos Anônimos, o livreto oficial da entidade, lê-se: "Diga para você mesmo: SÓ POR HOJE meus pensamentos estarão concentrados na minha recuperação, em viver e apreciar a vida sem drogas. SÓ POR HOJE terei fé em alguém de NA, que acredita em mim e quer ajudar na minha recuperação. SÓ POR HOJE terei um programa. Tentarei segui-lo o melhor que puder. SÓ POR HOJE tentarei conseguir uma melhor perspectiva da minha vida através de NA. SÓ POR HOJE não terei medo, pensarei nos meus novos companheiros, pessoas que não estão usando drogas e que encontraram uma nova maneira de viver. Enquanto eu seguir este caminho, não terei nada a temer". O capítulo inspiraria Renato a escrever a letra "Só por hoje", do álbum *O descobrimento do Brasil*.

3. *Legião Urbana*, 1985 (EMI).

4. Renato Rocha, o "Negrete". O músico saiu da banda em 1989. Ele foi encontrado morto num quarto de hotel no Guarujá (SP), em fevereiro de 2015.

5. O "(sic)" é do autor.

6. Narcóticos Anônimos, apelidados de "Neuróticos Anônimos" por Renato na p. 142, grupos fora da Vila Serena a que os pacientes iam acompanhados.

7. Alcoólicos Anônimos, grupos fora da Vila Serena a que os pacientes também iam acompanhados.

8. Grupo de Apoio.

9. Grupo Tarefa, uma das terapias do tratamento de Renato, que ele apelidará de "grupo do terror". Ali se apresentavam as tarefas designadas pelo coordenador, que eram avaliadas por ele e pelo grupo.

10. Grupo Sentimento, outra forma de terapia. Reuniões em que os internos da clínica expunham problemas e dificuldades enfrentados no tratamento.

11. Quarto disco da Legião Urbana, lançado em 1989 pela EMI.

12. Filho de Renato.

13. Grupo Formas de Relacionamento, no qual eram abordados especificamente os problemas com relacionamentos afetivos, familiares, sexuais.

14. Folha de Eventos Significativos, formulário em que os internos da instituição relatavam seu dia a dia.

15. Não localizamos referências às "comunitárias" no material da Vila Serena. Provavelmente, Renato se refere às dinâmicas de grupo, um dos pilares do tratamento na clínica.

16. O grupo, nascido em 1978, tinha em sua formação original Renato Russo (baixo e vocal), André Pretorius (guitarra) e Felipe Lemos (bateria).

17. Terapia Racional Emotiva.

18. Dependentes químicos.

19. O questionário referente a estas respostas não foi localizado nos arquivos de Renato nem nos da Vila Serena.

20. Laboratório de Patologia Clínica no Centro do Rio de Janeiro.

21. O questionário referente a estas respostas não foi localizado nos arquivos de Renato nem nos da Vila Serena.

22. Renato parece querer se referir ao cantor lírico britânico Peter Pears, este sim parceiro de Britten.

23. Baterista da Legião Urbana.

24. Sistema desenvolvido por Joseph Luft e Harry Ingham que busca compreender as relações interpessoais a partir de uma representação gráfica semelhante a uma janela.

25. Toxicômanos Anônimos.

26. No Prêmio Sharp daquele ano, Renato cantou "Gente humilde", de Garoto, Vinicius de Moraes e Chico Buarque. A edição homenageou Angela Maria e Cauby Peixoto.

27. O filme, na realidade, é de 1942.

28. Frase que depois Renato usaria na letra de "Só por hoje", do álbum *O descobrimento do Brasil*.

29. *Os grãos* e *Tudo ao mesmo tempo agora*, respectivamente.

30. O disco foi lançado pela EMI.

31. "O mundo anda tão complicado", "Teatro dos vampiros" e "Vento no litoral".

32. *O descobrimento do Brasil* (EMI), lançado em 1993.

33. *Dois* (EMI), lançado em 1986.

34. Loja que foi referência no Rio de Janeiro; fechou em 2010.

35. Sexólicos Anônimos.

LISTA DE OBRAS E ARTISTAS CITADOS

MÚSICA

"A Whiter Shade of Pale" ["Um tom de palidez mais branco"] (1967), Procol Harum.
"Be My Baby" (1963), The Ronettes.
Benjamin Britten (1913-76), compositor, maestro e pianista britânico.
Bob Dylan, nascido em 1941, cantor e compositor norte-americano.
Capital Inicial, banda fundada em Brasília no início da década de 1980.
Carmen (1875), de Georges Bizet.
Cazuza (1958-90), compositor e cantor carioca que integrou o Barão Vermelho.
Elton John, nascido em 1947, compositor e cantor britânico.
Emerson, Lake & Palmer, banda britânica da década de 1970.
James Taylor, nascido em 1948, compositor e cantor norte-americano.
Janis Joplin (1943-70), compositora e cantora de rock norte-americana.
Jim Morrison (1943-71), músico norte-americano, vocalista do The Doors.
Jimi Hendrix (1942-70), compositor, cantor e guitarrista norte-americano.
Jodele Larcher, nascido em 1955, diretor carioca de clipes musicais brasileiros.
Johann Sebastian Bach (1685-1750), compositor alemão.
John Lennon (1940-80), britânico, integrante dos Beatles.
"Just The Way You Are" (1977), de Billy Joel.
Kurt Cobain (1967-94), músico norte-americano, integrante do Nirvana.
Midnight Oil (1976-2009), banda australiana.
Paralamas do Sucesso, banda carioca fundada em 1977.
Paul McCartney, nascido em 1942, músico britânico, integrou os Beatles.
Peter Pears (1910-86), cantor lírico britânico.
Raul Seixas (1945-89), compositor e cantor baiano.
Rita Lee, nascida em 1947, compositora e cantora paulistana, integrou os Mutantes.
Titãs, banda paulistana formada em 1982.

CINEMA

A noviça rebelde (1965), de Robert Wise.

A viagem de volta (1990), de Emiliano Ribeiro.
Adolphe Menjou (1890-1963), ator norte-americano.
Casablanca (1942), de Michael Curtiz.
Derek Jarman (1942-94), diretor de cinema britânico.
Ernst Lubitsch (1892-1947), ator e diretor de cinema alemão.
Geena Davis (1956), atriz norte-americana.
Gene Wilder (1933) e Richard Pryor (1940-2005), atores norte-americanos.
Humphrey Bogart (1899-1957), ator norte-americano.
Linda Blair (1959), atriz norte-americana.
Luchino Visconti (1906-76), diretor de cinema italiano.
Manhattan (1979), de Woody Allen.
O valor da vida (1989), de Daniel Petrie.
Quick change (*Não tenho troco*) (1990), de Bill Murray e Howard Franklin.
Romeu e Julieta (1968), de Franco Zeffirelli.
Salò ou os 120 dias de Sodoma (1975), de Pier Paolo Pasolini.
Shelley Long, nascida em 1949, atriz norte-americana.
Stephen Frears, nascido em 1941, diretor de cinema britânico.
The lost weekend (*Farrapo humano*) (1945), de Billy Wilder.
Um estranho no ninho (1975), de Miloš Forman.

LITERATURA

O nascimento da tragédia (1872), de Friedrich Nietzsche.
Alcoolismo: Os mitos e a realidade (1986), de Katherine Ketcham e James R. Milan.
Arthur Rimbaud (1854-91), poeta francês.
Astrologia: Alcoolismo e drogas (1987), de Anna Maria da Costa Ribeiro.
"Carta de Ano-Novo" (1940), poema de W. H. Auden.
Fernão Capelo Gaivota (1970), de Richard Bach.
Friedrich Nietzsche (1844-1900), filósofo alemão.
George Orwell, pseudônimo de Eric Arthur Blair (1903-50), escritor britânico.
I'll Quit Tomorrow: A Practical Guide to Alcoholism Treatment (*Guia prático para o tratamento de alcoolismo*) (1973), de Vernon E. Johnson
Junky (1953), de William S. Burroughs.
Marcel Proust (1871-1922), escritor francês.
Mulheres que amam demais (1985), de Robin Norwood.
O pequeno príncipe (1943), de Antoine de Saint-Exupéry.
O velho e o mar (1952), de Ernest Hemingway.
On the road (1957), de Jack Kerouac.
Ratos e homens (1937), de John Steinbeck.
Seus pontos fracos (1976), de Wayner Dyer.
Søren Kierkegaard (1813-55), filósofo e teólogo dinamarquês.
Sylvia Plath (1932-63), escritora norte-americana.
Tudo que eu devia saber aprendi no jardim de infância (1988), de Robert Fulghum.
Um ianque na corte do rei Artur (1889), de Mark Twain.
Viver sóbrio (1990), livro com os ensinamentos do programa Alcoólicos Anônimos.
Walt Whitman (1819-82), poeta e ensaísta norte-americano.

William Shakespeare (1564-1616), dramaturgo inglês.
W. H. Auden (1907-73), poeta anglo-americano.

ARTES PLÁSTICAS

Sandro Botticelli (1445-1510), pintor italiano.

PSICANÁLISE

Jacques-Marie Émile Lacan (1901-81), psicanalista francês.

1ª EDIÇÃO [2015] 2 REIMPRESSÕES

ESTA OBRA FOI COMPOSTA POR ACOMTE EM ALBERTINA E
IMPRESSA PELA GEOGRÁFICA EM OFSETE SOBRE PAPEL PÓLEN
SOFT DA SUZANO PAPEL E CELULOSE PARA A
EDITORA SCHWARCZ EM NOVEMBRO DE 2015